juan cárdenas

Dirección y edición BENJAMÍN VILLEGAS

Textos ÁLVARO MEDINA

Villegas editores

Edición auspiciada por:
Sociedades Bolívar. JOSÉ ALEJANDRO CORTÉS OSORIO, Presidente.
Seguros Bolívar. JORGE ENRIQUE URIBE MONTAÑO, Presidente.
IVONNE NICHOLS, Coordinación.

Libro creado, diseñado y editado en Colombia por VILLEGAS ASOCIADOS S. A.
Avenida 82 n.º 11-50, Interior 3, conmutador: 571.616.1788, fax: 571.616.0020,
Bogotá, D. C., Colombia, e-mail: informacion@VillegasEditores.com

Dirección de arte, ANDREA VÉLEZ.
Departamento de arte, ENRIQUE CORONADO, MAURICIO MORENO.
Coordinación editorial, JUAN DAVID GIRALDO, MARÍA DEL PILAR LONDOÑO,
CAROLINA JARAMILLO SELIGMANN.
Revisión de estilo, STELLA FEFERBAUM.
Fotografía, GALÉRIE CLAUDE BERNARD, MIGUEL CÁRDENAS MEIRA,
ÓSCAR MONSALVE.

El artista agradece al Sr. Claude Bernard Haim, Galérie Claude Bernard, París;
a Mónica Meira de Cárdenas; a Miguel Cárdenas Meira; a Verónica Cárdenas
Meira; al Dr. Vicente Casas Santamaría y Sra.; al Dr. Elis Douer y Sra., y a todos los
coleccionistas y propietarios que amablemente permitieron fotografiar sus obras
para esta publicación.

Primera edición, octubre de 2007.
ISBN 978-958-8306-08-7

Carátula, **Interior distorsionado** (detalle). 2007.
Óleo sobre lienzo. 50 x 70 cm

Contracarátula, **Niña frente a una tapia** (detalle). 1998.
Óleo sobre lienzo. 52 x 88 cm

Páginas 2-3, **Interior distorsionado.** 2007.
Óleo sobre lienzo. 50 x 70 cm

Página 4, **Interior del taller.** 2007. *Collage* fotográfico.
14,8 x 16,7 cm

Páginas 6-7, **Interior blanco con Mónica.** 2007.
Óleo sobre lienzo. 46,5 x 60,6 cm

Páginas 8-9, **Interior con dos hombres y una mujer.** 1997.
Óleo sobre lienzo. 71 x 48 cm

Interior con cartón amarillo. 1984. Óleo sobre lienzo. 40 x 50 cm

Presentación
Benjamín Villegas

Hacer un libro sobre un artista cuya obra se encuentra en plena y extraordinaria madurez, como la de Juan Cárdenas, es una experiencia incomparable para cualquier editor.

En este libro la idea ha sido tratar de seguir el itinerario temático y pictórico que plantea la obra de Juan Cárdenas a lo largo de su trayectoria. Ello, para comprobar al cabo que los diferentes entornos que vamos encontrando son apenas facetas de un solo y complejo universo que el pintor maneja, revestido casi siempre de engañosa sencillez, en un reto permanente al espectador que debe desentrañarlo para penetrar en sus múltiples y sorprendentes profundidades.

Sin apegarnos estrictamente al acontecer cronológico, el libro arranca, luego del estudio introductorio de Álvaro Medina, con aquellas obras —apuntes y paisajes— en que prima la presencia de la naturaleza en una aproximación de corte poético. Luego, poco a poco, el hombre se cuela en el paisaje: campesinos, el propio pintor contemplativo frente a la naturaleza, personajes con apariencia de pasado, de recuerdos, al tiempo que entreveradas y conscientes alusiones al arte moderno y al presente.

Y en esa trayectoria, aparece también la arquitectura, la construcción, la urbe, la intervención del hombre. Hasta cierto punto el campo parece salirse de sus lienzos: un muro o una cerca atraviesa el paisaje, una construcción lo rompe, una enorme pared lo oculta.

El pintor se refugia entonces en su estudio. Allí donde su universo personal puede ser creado y recreado a su arbitrio. Allí donde las nuevas realidades, mostradas o sugeridas, cobran vida y se desdoblan. Allí donde las posibilidades de sus juegos temporales y espaciales pueden multiplicarse al infinito. "Con sutileza Cárdenas cumple la tarea que se ha impuesto a sí mismo, yendo y viniendo a través del tiempo", nos recuerda Álvaro Medina.

En este su medio, entre estas sus cosas, el artista realiza sus extraordinarios retratos y estudios de allegados, de mujeres, de personajes históricos y de figuras anónimas; compone sus singulares y atiborrados bodegones; y se asume él mismo, a través de una serie de autorretratos, como un elemento más del estudio y como un objeto más de su quehacer creador.

Este es el recorrido que invitamos a hacer en este libro. Esperamos que, además del hilo conductor propuesto, el lector encuentre otras rutas para penetrar el fecundo universo de Juan Cárdenas, descubrir sus realidades paralelas, sus posibilidades de desdoblamiento, sus sutiles referencias al arte universal y su extraordinario sentido del humor.

Conocimiento y causa. 1972. Óleo sobre lienzo. 50,3 x 45,5 cm

Juan Cárdenas, el pintor de los conceptos que se bifurcan

Álvaro Medina

Instituto de Investigaciones Estéticas
Universidad Nacional de Colombia, Bogotá

Si nos limitamos a su mera apariencia, ¿la ya extensa obra de Juan Cárdenas se puede catalogar dentro de alguna tendencia derivada de la modernidad vanguardista? A simple vista la respuesta es no. Ni la factura ni los temas son de hoy. Los personajes poseen un inequívoco aire decimonónico, los conjuntos se basan en anécdotas, la paleta se ciñe en su discreción evidente al canon cromático del academicismo y el espacio profundo se ciñe a las reglas de la perspectiva. Son cuatro consideraciones de peso que, juntas, corroboran a plenitud la respuesta negativa que se puede dar a partir de la primera, incluso la segunda mirada que les demos a estas pinturas. Pero las cuatro afirmaciones están basadas en una mera apariencia, ya que las imágenes han sido pensadas y realizadas para embaucar la mirada. En consecuencia debemos someterlas a un verdadero beneficio de inventario, es decir, a una revisión pormenorizada de los elementos que la construyen. Como en los laberintos, frente a Juan Cárdenas hay que mantenerse en estado de alerta. El suyo es un trabajo realizado cuando el arte conceptual, a partir del ejemplo de Marcel Duchamp, alzó la bandera que le daba prioridad a las ideas, y él, en sus composiciones, también maneja ideas.

Dos reconocidos pintores surrealistas, René Magritte y Salvador Dalí, fundamentaron su quehacer en las sugerentes incertidumbres del sueño, y dos grandes dramaturgos, Ionesco y Samuel Beckett, exploraron con coherencia las canteras del absurdo. En ambos casos estoy recordando la naturaleza de las fuentes poéticas que unos y otros utilizaron a fondo. En una definición igual de concisa, se puede afirmar que el pintor colombiano Juan Cárdenas ha estado trabajando los ricos filones de la contradicción, haciendo posible que una cosa sea y no sea al mismo tiempo. En sus cuadros (porque es pintor de cuadros, esa práctica hoy vilipendiada), la contradicción ha sido sistematizada de tal modo que, por ejemplo, toma una anécdota, la desarrolla y el resultado final es antianecdótico. Del mismo modo ha pintado lienzos con unos airecillos a siglo XIX asumidos por él conscientemente, pero tratados con el desenfado conceptual que sólo podría permitirse un gran entendedor de las rupturas sucesivas que introdujeron las vanguardias en el siglo XX.

¿Por qué las anécdotas de Juan Cárdenas son antianecdóticas? Porque la articulación que hay entre las partes (el entorno, los personajes, los gestos, las poses), no es causal ni permite armar un discurso medianamente razonado. Las de Juan son anécdotas en las que casi nunca pasa nada. Si algo pasa, los sucesos se yuxtaponen sin llegar a encadenarse de manera lógica. Reconozcamos que lo ilógico nos agobia y,

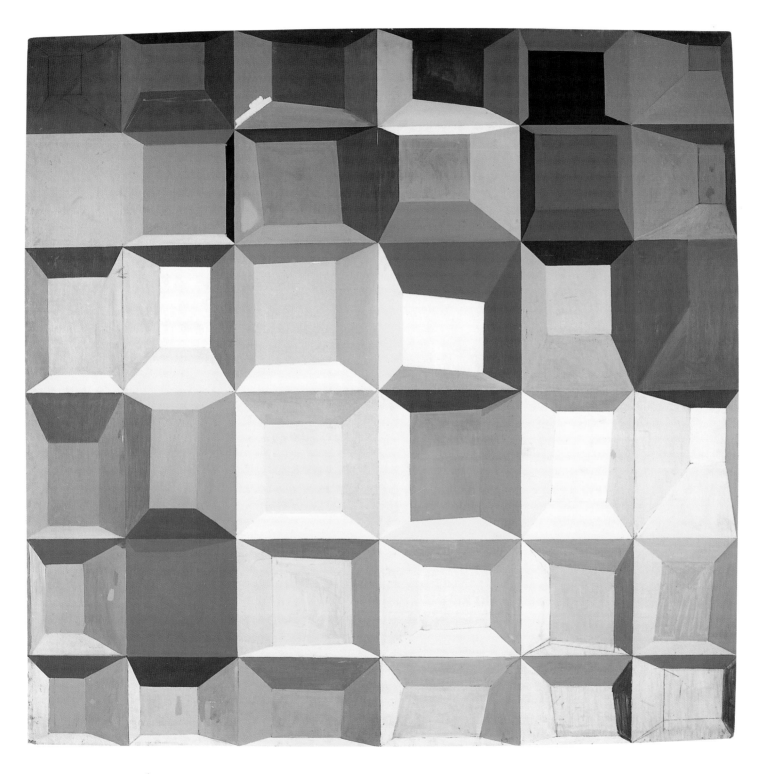

Estudio de cubos. 1970. Óleo sobre madera. 118 x 121 cm

Cubos grises. 1976. Óleo sobre madera. 53,5 x 74 x 3,8 cm

no raras veces, nos repugna por incomprensible, pero podemos asimilarlo y admitirlo cuando logramos desmontar los mecanismos de su falta de lógica.

En 1941, a propósito del rechazo que producen los discursos estructurados por fuera de toda racionalidad, Jorge Luis Borges publicó un cuento admirable, "El jardín de los senderos que se bifurcan", cuyo título ha inspirado el de este texto. En dicho cuento, el protagonista, el doctor Yu Tsun, confiesa sentir vergüenza de la novela escrita por un antepasado suyo, tan enrevesada que "en el tercer capítulo muere el héroe, en el cuarto está vivo". Ese antepasado había abandonado todo en la vida "para componer un libro y un laberinto", propósitos solemnes que anunció antes de aislarse a trabajar durante trece años, pero sucedió que a "su muerte, los herederos no encontraron sino manuscritos caóticos" que en algún momento, decepcionados, pensaron en arrojar al fuego[1]. Siglos después un sinólogo inglés pudo resolver el enigma del extraño legado. La primera alternativa a resolver en la obra del enjundioso y sin par laberintólogo tenía que ver con la naturaleza misma del laberinto, que sus herederos vislumbraron de tres dimensiones y nunca encontraron. "Todos imaginaron dos obras; nadie pensó que libro y laberinto eran un solo objeto", descubrió el sinólogo inglés. En efecto, el laberinto de la novela que estuvo a punto de ser incinerada se compone de bifurcaciones "en el tiempo, no en el espacio"[2], presentando "una red creciente y vertiginosa de tiempos divergentes, convergentes y paralelos", una "trama de tiempos que se aproximan, se bifurcan, se cortan o que secularmente se ignoran"[3].

La enrevesada trama que el execrado autor chino desarrolló en su texto, concebida a costa de ser un incomprendido, es similar a la que Juan Cárdenas ha llevado con talento a la pintura. En el cuento, refiriéndose a la mecánica de las bifurcaciones, Borges plantea que doblar siempre a la izquierda es "el procedimiento común para descubrir el patio central de ciertos laberintos"[4], lo cual significa que para salir de él basta doblar siempre a la derecha. Debo confesar que he ensayado la sugerencia del sabio escritor argentino en los intrincados laberintos de espejos que suelen tener los parques de diversiones, en los que no es recomendable, debido a la multiplicidad de reflejos, confiar en la mirada. Para poder entrar y salir sin perderse, toca entrecerrar los ojos y evitar la tentación de creer lo que se ve. Sólo el sentido del tacto puede guiarnos, lo que supone no despegar nunca una mano del tabique izquierdo de los corredores que se bifurcan o entrecruzan una y otra vez.

En el mismo texto, Borges llegó a delinear la idea de "un laberinto de laberintos, (…) un sinuoso laberinto creciente que abarcara el pasado y el porvenir y que implicara de algún modo los astros"[5]. El insólito laberinto de laberintos sería verdaderamente infinito porque se bifurcaría ofreciendo alternativas en el tiempo y en el espacio, simultáneamente.

[1] Jorge Luis Borges, "El jardín de los senderos que se bifurcan", *Obras completas*, 19ª. Impresión, t. I, Emecé, Buenos Aires, 1993, p. 476.

[2] Ibídem, p. 477.

[3] Ibídem, p. 479.

[4] Ibídem, p. 475.

[5] Ibídem.

Puerta. 1967. Óleo sobre cartón en relieve, 47 x 47 x 2 cm

Estudio de ordalías. 1972. Óleo sobre lienzo. 48,8 x 53,2 cm

Ordalías 1. 2007. Óleo sobre lienzo. 49 x 53,2 cm

Ordalías 2. 2007. Óleo sobre lienzo. 49 x 53,2 cm

Ordalías 3. 2007. Óleo sobre madera. 34 x 37 cm

Paisaje caucano. 1974. Óleo sobre lienzo. 40,7 x 50,5 cm

¿Es factible tan laboriosa fantasía? Me parece que Juan Cárdenas ha dado la respuesta con su obra pictórica, hecha de conceptos que ofrecen alternativas inesperadas, sin antecedentes en la historia de la pintura. Pero, ¿en qué consisten las bifurcaciones conceptuales de Cárdenas?

La esencia del laberinto es el engaño: simula salidas donde no las hay. Las pinturas que aquí analizamos engañan. Sugieren una armonía de tipo espacial que no existe, obligándonos a permanecer con la mente alerta. En sus cuadros las imágenes aparentan situaciones que, bien analizadas, resultan ser otra cosa. La reflexión anterior me lleva a concluir que si queremos comprender su más íntimo sentido, un buen cuadro de Juan Cárdenas no es jamás de fiar. Entre más profundo sea, menos debemos creer lo que la vista registre. Es que dentro de su propia lógica, el mejor laberinto sería el de un recorrido tan enrevesado que nunca podríamos descifrar sus espacios, quedándonos con la resignación de tener que habitarlos para siempre. Del mismo modo, dentro de la lógica de Cárdenas, su mejor cuadro es aquel que, de tan engañoso, no parece contener engaño alguno.

Por imitar volúmenes que violan la bidimensionalidad del soporte, toda pintura realista o naturalista es mentirosa, pero debemos convenir que se trata de una convención que deslumbra. Tan es así, que el *trompe l'œil* o trampa al ojo, ilusionista por definición, es un recurso que la historia del arte ha consagrado. En sus inicios, Cárdenas partió de lo que en el fondo no es sino un truco de representación, que poco a poco enriqueció con ilaciones espaciales de gran complejidad y con agudas alusiones al tiempo histórico. Me refiero al tiempo que los artistas han documentado con sus obras a través de los siglos, creando el sustrato de los historicismos de hoy. El original enfoque le ha exigido alterar convenciones heredadas, forjar unas nuevas y conservar estratégicamente las que en cada caso pueden convenirle a una determinada expresión. Esto significa que la materia prima de la pintura de Juan Cárdenas son los conceptos, luego los lenguajes y por último las formas.

En 1975, en la monumental *Historia del arte colombiano* que publicó Salvat en varios tomos, Germán Rubiano Caballero hizo una definición de la pintura de Cárdenas que a mi juicio sigue vigente. A partir de una reflexión de Antonio Roda, según la cual al joven Juan lo animaba "el deseo ferviente de ser veraz" al tiempo en que "en su obra hay distorsión", Rubiano Caballero concluyó que Cárdenas "es un realista a medias (…) con la disciplina de un neoclásico y la objetividad de un verista", combinación que hacía de él "un romántico lleno de incertidumbres y timideces"[6].

Han pasado tres décadas desde que Rubiano Caballero escribiera su juicio, corroborado por las decenas y decenas de pinturas realizadas desde entonces. Recordemos entonces, para poder precisar los alcances de su aporte, que nuestro autor agregó algo más: "La presentación oscila entre el retrato fidelísimo y el boceto incierto"[7]. Un rápido vistazo a buena parte de las obras que este libro reproduce le permitirá al lector verificar que el "boceto incierto", es decir, el trazo o

[6] Germán Rubiano Caballero, "La figuración más reciente", en Eugenio Barney Cabrera y otros, *Historia del arte colombiano*, Salvat, Barcelona, 1975, p. 1621.

[7] Ibídem.

Paisaje de verano. 2006. Carboncillo sobre papel. 28 x 77,5 cm

la mancha que inesperadamente pierde precisión y nitidez, coexiste con zonas realizadas dentro de la más absoluta fidelidad a la representación verista. En otras palabras, el artista pinta con rigor lo que el ojo ve (la disciplina —no el estilo— del neoclásico que menciona Rubiano Caballero) y de repente, en un giro abrupto, se interna en las "arbitrariedades" que la mente en libertad es capaz de concebir, introduciendo un vaivén creativo que toma por sorpresa al espectador y lo obliga a reflexionar sobre las intrigantes particularidades de la imagen que contempla.

De una manera general, el artista ha trabajado en dos registros diferentes, transitando a gusto y con facilidad entre códigos contradictorios que él sabe conciliar. Siendo en principio un realista, ha tomado el boceto tradicional, que en su aspecto puramente práctico responde a la necesidad de registrar al vuelo una forma o una idea, y lo ha vuelto un elemento del lenguaje. Por supuesto, no es el lenguaje en su totalidad, sino parte de él. La otra parte, dentro del sistema bipolar que maneja, es el realismo tradicional ya mencionado. Precisemos que no ha escogido cualquier realismo, ya que se ha inclinado por el más verista de todos, el decimonónico, el que practicaron Géricault, Courbet y Millet, de figuras tomadas de la vida cotidiana, pero cargadas de cierto sentimiento.

Sólo que, instalado en la cotidianidad que le interesa, Cárdenas ha cambiado el sentimiento por la ironía, lo que lleva a concluir que una clave fundamental de su pintura es el humor. Por eso mismo, un brazo puede presentar del hombro al codo la textura y el modelado propios del naturalismo, y resolverse del codo a la mano en un "disparatado" cúmulo de manchas y rayas informales. Las disyuntivas realidad-abstracción, terminado-abocetado y solemne-irónico equivalen a las bifurcaciones de todo laberinto. Es precisamente ese constante ir y venir entre modalidades de trabajo (también podría hablarse de "argucias" de trabajo), lo que explica el calificativo de "realista a medias" que Rubiano Caballero consignara en su texto.

En efecto, el hoy veterano pintor se complace en entrar a saco en la realidad para casi enseguida, con la misma facilidad, salir de ella. Como ya ha sido dicho, logra su cometido por la vía de alterar con soluciones abstraccionistas el detalle ejecutado dentro de las más estrictas reglas del verismo, pero toca aclarar que también lo obtiene con el sorprendente recurso de yuxtaponerle a la realidad otras realidades, con las que altera y enriquece la imagen primigenia, o sea la que le sirve de punto de partida. Es de advertir, sin embargo, que del punto de partida original puede quedar a veces muy poco.

Las imágenes que crea Cárdenas le deben mucho a la fotografía, pero también a los juegos de presentación y representación propios del *collage* cubista. En el *collage* el papel pegado corta la imagen pintada y la complementa, procedimiento que Cárdenas emplea a su modo, cortando y superponiendo realidades, que a su turno —como ya vimos— son cortadas por las abstracciones que aquí y allá se superponen a ellas. Implica esto una concepción bastante particular del espacio pictórico, que el artista estira y encoge a su guisa, por fuera de las leyes de la lógica elemental y simple.

Ojo, de ninguna manera la pintura de Cárdenas es ilógica. Sucede que su lógica es otra. Podemos completar ahora la

Paisaje de Aguazul. 1990. Óleo sobre papel y madera. 46 x 61,5 cm

Jardín a las 5:00 pm. 1989. Óleo sobre papel. 45,6 x 61,2 cm

Jardín de octubre. 1988. Óleo sobre papel y madeflex. 41 x 61 cm

Teusaquillo. 1974. Óleo sobre lienzo. 54 x 60 cm

ya citada reflexión de Roda que, tras asegurar que Juan no distorsiona ni introduce toques románticos ni asume actitudes intelectuales en su práctica pictórica, asevera luego: "Sin embargo, en su obra hay distorsión, hay toque romántico, hay actitud intelectual". Concluía Roda: "Es esta contradicción la que da a sus obras un misterio y una intensidad particulares, porque las dota del doble filo de parecer sencillas y de ser complicadas"[8]. Cuando un buen pintor reconoce los méritos de un colega, sus palabras suelen ser incisivas. Las de Roda lo son en grado sumo. Plantean la existencia de una complejidad que merece ser tratada con cierto detenimiento, complejidad que, como ya se dijo, está hecha de las bifurcaciones sistematizadas que en mi análisis, recurriendo a una metáfora, he emparentado con los laberintos.

No sobra recordar que las obras de este libro se componen en lo esencial de ideas. Para ponerlas en juego, el artista no ha tenido ni querido descartar los valores cromáticos, táctiles y compositivos inherentes a la buena pintura, de donde se concluye que hablamos de ideas de orden pictórico. ¿Por qué no los ha descartado, si esta ha sido la tendencia de sus contemporáneos en el panorama internacional? Porque no trabaja con ideas de la entraña ideológica del pensamiento, sino con ideas visuales, distintas de las literarias, que el hoy experimentado pintor colombiano combina y maneja con la libertad que otros emplean al manipular, por ejemplo, sus ideas sonoras. Como es lógico, la consolidación de una idea visual exige un anclaje ligado a la percepción ocular, de problemas y soluciones cuyo espectro es muy amplio.

El artista ha indagado seriamente en ese espectro y por eso sus lienzos acataron, cuestionando y al mismo tiempo exaltando, los lineamientos de la pintura tradicional.

Cuando los conceptualistas, que en 1969 consagró Harald Szeemann, se entregaron al histórico festín de trasegar con ideas, sus inquietudes fueron comunicadas a través de la acción, la instalación, la palabra y la fotografía. La muestra de Szeemann, titulada *When Attitudes Become Form*, indicaba en el subtítulo que el espectador entraría allí en contacto con "Obras-Conceptos-Procesos-Situaciones-Información". El enunciado era tan cierto, que la tapa del catálogo proclamaba un tipo de arte destinado a quedar vivo en la cabeza de los asistentes[9]. Aún perdura el impacto de la ola creativa que entonces se desató, pero observemos que recurrir a la fotografía para transmitir una idea implica creer en el poder de un medio que necesariamente entra por los ojos. Quiere decir que la imagen visual no ha perdido pertinencia a la hora de estructurar un concepto, por complejo y puro que sea.

Lo que ha sucedido en los últimos sesenta años, por razones poderosas que no viene al caso analizar, es que se ha estado despreciando la imagen pictórica y se le ha dado prelación a la fotográfica. La primera involucra la mano del artista, su voluntad estética; en la segunda hay una mecánica que, si se quiere, puede reducirse a un registro en el que la estética (que Duchamp cuestionaba), no cuente para nada. Hablando de la confluencia que debía producirse contemplando el *Gran vidrio* y leyendo *La caja verde*,

---

[8] Ibídem.

[9] *Live in your Head—When Attitudes Become Form—Works-Concepts-Processes-Situations-Information*, Kunsthalle Berne, Berna, 1969.

Paisaje urbano. 1985. Óleo sobre lienzo. 42,2 x 70,4 cm

Duchamp reveló su ideal: "Vidrio para la vista y texto [es decir conceptos] para el oído". Aplicada la novedosa fórmula, "el entendimiento [de la obra] debía completarse y, sobre todo, impedirse mutuamente la posibilidad de cobrar una forma estético-plástica o literaria"[10]. Sabemos que los conceptualistas duchampianos de fines de los años cincuenta y de los años sesenta acataron el sugerente, y en verdad eficacísimo, principio de rechazar la forma estético-plástica, y por eso se entregaron a elaborar obras de arte basadas en el solo enunciado, actitud que tiene en *El inmaterial* (c. 1962) de Yves Klein, su obra cumbre.

Ahora bien, aunque desde sus inicios en los años sesenta también se entregó a trasegar con ideas puras que plantean situaciones contradictorias, Juan Cárdenas no engrosó nunca las filas duchampianas. Juan adora la estética y pinta apegado al buen gusto burgués. Ya Rubiano Caballero había expresado: "Juan Cárdenas es el artista burgués —en el sentido más prístino del término"[11]. Es por eso que su presencia en el panorama actual se antoja como la del artista desinformado que no sabe que desde el cubismo el arte ha estado cambiando de modo constante y radical. Toca admitir que la conclusión es redonda, sólo que, como ya sabemos, está basada en una ilusión de laberinto. En otras palabras, es falsa. Entendido esto, para poder penetrar los enfoques del pintor, voy a considerar su obra en los siguientes términos: a) el choque entre lo nuevo y lo viejo, aspecto que remite a

trasvases visuales emparentados con el tiempo; b) la fricción entre la vanguardia y el conservadurismo artístico, aspecto que remite a trasvases que transforman el espacio. En los dos casos, porque no será reiterado en adelante, el lector deberá tener en mente la sugerencia de Borges.

¿Qué hace que el Juan Cárdenas que ha trasegado con sus obras el último tercio del siglo XX, activo al iniciarse el XXI, parezca un pintor del XIX? Las atmósferas nostálgicas de sus pinturas, producto de la exaltación de un pasado que —a través de la imaginación— el artista ha logrado rescatar y traer al presente, su presente. Cárdenas procede con tal seguridad de medios expresivos que, en ciertos casos, cuando termina de pintar un cuadro, la luz que lo baña recuerda la pátina que forma el paso del tiempo. Me refiero al tono que matiza la paleta y produce el color "amuseado" del que hablara en 1978 Galaor Carbonell[12].

Cárdenas ha procurado poner en contacto el pasado y el presente. Significa esto que si por un lado hay juegos de orden espacial, por el otro existe una especie de travesía del tiempo, experiencia que la pintura sólo había ensayado con recursos meramente ilustrativos. El empeño no es metafísico. Su consistencia es física y se basa en la materialidad de la pintura, en lo que ella de por sí puede dar. Cualquier restaurador sabe cómo se limpia o se simula una pátina. Sólo que Cárdenas no se refugia en el efecto superficial que produce la apariencia del óleo envejecido, porque no usa pátinas.

[10] Cit. por Juan Antonio Ramírez, *Duchamp el amor y la muerte, incluso*, tercera edición, Siruela, Madrid, 2000, pp. 73-74.

[11] Rubiano Caballero, p. 1261.

[12] Galaor Carbonell, "Dos figurativos colombianos: la historia del arte en las imágenes de Juan Cárdenas y Gregorio Cuartas", Arte en Colombia, n.° 6, enero-marzo de 1978, p. 26.

Árbol amurallado. 1991. Óleo sobre lienzo. 48,2 x 40,6 cm

Árbol frente a un muro. 1991. Óleo sobre lienzo. 45,9 x 38,1 cm

La ejecución. 1985. Óleo sobre lienzo. 55,5 x 71 cm

Paisaje impresionista. 1985. Óleo sobre lienzo. 51 x 60,5 cm

Paisaje sabanero. 1983. Óleo sobre papel y madera. 29 x 45,5 cm

Para remitirnos al pasado, trata el color desde adentro hasta lograr que recuerde el modo como se trabajaba antes, de donde se concluye que su paleta es historicista. La ha venido manejando con el pragmatismo del escenógrafo que diseña los *sets* de una película de época. No es entonces una paleta conservadora y poco audaz. Al contrario, es inteligente. Tiene un fin práctico, no otro que el de evocar con humor lo que ya periclitó.

Un segundo puente con el pasado lo condensan las escenas de vida cotidiana que Juan pinta una y otra vez. Es una tendencia que la aparición y ascenso de las vanguardias desterró de la pintura, toque de gracia al que la fotografía no fue ajena. Luego del auge que tuvo entre los flamencos del siglo XVII, la tendencia se volvió a perfilar con Gericault, alzó vuelo con Courbet y se entronizó con Millet, alcanzando a tener intensos ecos en Manet y Van Gogh. Su presencia actuó como una forma de rebelión contra las solemnidades del academicismo, dedicado a exaltar la mitología clásica, las sagas bíblicas y los acontecimientos heroicos de la gran historia. Despreciado, el presente no era digno de quedar en un lienzo. Cuando el hombre del común atrajo la mirada del pintor y éste lo llevó a sus telas en situaciones francamente intrascendentes, sin compostura alguna y con la ropa del día, toda una revolución fue entronizada, revolución que con la aparición de la instantánea se volvió el coto de caza de la fotografía y luego del cine documental.

Juan Cárdenas ha rescatado y hecho suya una tradición que, a mi juicio, no alcanzó a desarrollarse plenamente en la pintura. Comportándose como los renacentistas que hace cinco siglos trabajaron temas cristianos (léase modernos),

alternando con retozos de aires antiguos (Apolo, Venus, la sensualidad pagana, el amor, el erotismo), Juan ha estado entremezclando pulsaciones poéticas del presente y del pasado. Las pulsaciones se manifiestan básicamente a través de ambientaciones, muebles, personajes y vestimentas. Muebles y ropajes son en principio accesorios, pero son productos históricos que, en su caso, facilitan la tarea de poner en contacto el hoy y el ayer. Con sutileza Cárdenas cumple la tarea que se ha impuesto a sí mismo, yendo y viniendo a través del tiempo.

Obsérvese que en sus pinturas predominan las situaciones del presente, pero aun así las vemos envueltas en atmósferas que remiten a un pasado lejano. ¿A qué se debe esto? Adelanto una hipótesis, que no debe entenderse o asumirse como la única que opera. En sus lienzos, Juan no pinta nunca objetos de uso doméstico que podamos asociar con el tipo de diseño que introdujo la Bauhaus. En las escenas callejeras y en los paisajes no aparecen automóviles ni aeroplanos. Se concluye que el sabor a antigüedad no depende únicamente del color amuseado, si bien cumple un papel determinante. En verdad hay toda una estrategia en el abordaje de los temas, afinada al diapasón con las intenciones que mueven al artista.

Lo anterior es válido para las obras que representan hechos de hoy, pero con envolturas del pasado. Invirtamos entonces la tendencia y preguntémonos ahora qué hace que sean de hoy las representaciones claramente vinculadas a episodios del ayer. Fijémonos en pinturas como *Parque de Santander* (1991) y *Plaza de Bolívar, costado occidental* (1991-2000), realizadas a partir de grabados de época que muestran

Hombre sobre un camino. 1988. Óleo sobre papel y madera. 46,5 x 38,5 cm

Mujer frente a una colina. 1988. Óleo sobre lienzo. 46 x 61 cm

cómo era Bogotá en el siglo xix. Forman parte de una serie en la que no todos los cuadros tienen las características que cabe destacar en estos dos: la presencia, en medio de los corrillos callejeros, de personajes históricos que se codean con figuras tomadas de maestros europeos. En una de esas pinturas vemos pasear por el campo, en la tropical pero fría sabana de Bogotá, al impresionista Claude Monet.

Una referencia mucho más evidente al tiempo amalgamado podemos verla en el alargado paisaje de *Nocturno* (2001), que en el lado izquierdo brilla con la luz del día y en la mitad presenta las crepusculares nubes del atardecer, cuando a la derecha nos ofrece una noche oscura de cielo tenuemente iluminado. La obra puede entenderse como un nuevo homenaje a Monet, ya que está dividida en tres lienzos yuxtapuestos de igual tamaño. Aunque tienen una relativa autonomía el uno del otro, al mismo tiempo presentan una clara continuidad espacial, dándole unidad al conjunto.

En los cuadros de género, el ámbito remite con fidelidad al pasado, pero la estrategia utilizada y las significaciones de la obra no son de entonces sino de hoy. Conclusiones: Juan no trabaja como un pintor del siglo xix, Juan no es un pasatista. En sus obras cita imágenes de otros pintores, sólo que utiliza un medio que carece de comillas, llamadas y notas bibliográficas de pie de páginas (o, en este caso, notas pictográficas de pie de lienzo). El procedimiento puede pasar desapercibido porque, tratándose de apropiaciones, no se requiere dar créditos como ocurre en el lenguaje escrito. Conceptualmente, sin embargo, es un producto de hoy.

Es de hoy porque reflexiona con serenidad y profundidad sobre algunas de las tantas expresiones modernas de los últimos siglos. Siendo así, merece la etiqueta de posmoderno, noción que retomaré y ampliaré más adelante en vista de que las pinturas que aquí analizamos difieren ostensiblemente del tipo de obras que otros autores han ligado a la posmodernidad. En efecto, si miramos bien estos cuadros, comprobaremos que el artista semantiza los elementos referidos al pasado, los direcciona y pone a prueba cambiándoles el contexto en el que tradicionalmente han operado. Cárdenas procede como un pintor autónomo, no ligado a ningún movimiento, que sabe barajar sus ideas con entera libertad.

La semántica estudia el significado de las palabras, acepción que ha sido ampliada con el propósito de poder indagar la connotación precisa de las expresiones no verbales. Cuando Cárdenas semantiza el color gracias a la utilización de ciertos tonos, su paleta no se halla a la caza de símbolos asociados al siena, el ocre, el azul o el amarillo. Más bien busca un clima, una temperatura. Esa temperatura la dicta una poética, que a su turno le permite comunicar recuerdos, aludir al antaño.

Pero no olvidemos que su obra es un laberinto total como el que Borges definiera. Por eso compone imágenes normales que en verdad son anormales. En las escenas de salón, el artista representa aposentos atiborrados de muebles y otros objetos que uno o más espejos reflejan. En ellos el espacio real y el espacio virtual o reflejado se entrecortan, funden y confunden como si se tratara de espejismos. Ya en otro estudio sugerí que los elementos compositivos de cada cuadro dialogan entre sí, que para poder comprender lo que dicen debemos fijarnos de entrada en lo que contienen los

Dos caminantes. 1980. Óleo sobre lienzo. 38 x 56,5 cm

San José de Bavaria. 2001. Óleo sobre lienzo. 55 x 185 cm

Bodegón con desnudo. 1997. Óleo sobre lienzo. 45,5 x 65 cm

espejos[13], analizar qué reflejan, con qué ángulo lo hacen y qué correspondencia hay (o no hay) con el entorno inmediato.

Pero ojo, no raras veces dentro de un espejo enorme podemos reconocer el reflejo de otro espejo, lo que equivale a descubrir un pequeño hueco dentro de un gran hueco, tornando complejo el espacio. Por otra parte, tenemos que a menudo el pintor define con nitidez tres de los lados de un espejo, dejando que el cuarto lado se difumine y confunda con los detalles colindantes, tratamiento que introduce una ambigüedad deliberada y constituye una compleja, notable e interesante bifurcación visual. El resultado es que lo real y lo virtual desdibujan sus fronteras, recurso eminentemente pictórico que le sirve al artista para darle alas a su laberinto y mantenernos atrapados dentro de él.

Ahora bien, el fraccionamiento de la imagen tiene otro apoyo en el uso de puertas abiertas, ventanas y vanos que revelan la existencia de recintos contiguos, por lo tanto de muros, muebles y personajes situados en espacios distintos. El procedimiento refuerza el juego entre lo que está adelante y lo que está atrás, en el que los contornos geométricos de los numerosos objetos (en general triangulares, rectangulares o romboidales) se interrelacionan para crear ritmos que remiten a los de ciertos pintores abstraccionistas no objetivos.

Cárdenas disecciona el espacio, lo acuchilla, lo reduce a lonjas. Practica los afectamientos del cubismo, mas no del objeto que se plantea visto simultáneamente por todos sus lados, sino del espacio disgregado y vuelto a armar, conservando

la apariencia de un considerable volumen de aire compacto contenido entre cuatro paredes. En el cubismo de Braque y Picasso la mirada se concentra en el objeto que se va analizando, mientras se desplaza a su alrededor; en Cárdenas la mirada se concentra en el espacio mismo, desplazándose dentro de él para poder representarlo desde ángulos distintos, operación que por cierto no resulta visible como en el cubismo. La primera mirada es externa, la segunda es interna al verdadero motivo o asunto del cuadro. En mi análisis de una obra específica, esbocé el asunto como sigue:

Es desde lo ilusorio que podemos explicar los *spots* o intensos planos de luz que puntean aquí y allá la superficie de *Interior nocturno* (1988). Ya se trate de óvalos que sugieren la presencia de lámparas circulares o del diamante que sugiere una lámpara cuadrada, los blancos planos flotan sin que dejen ver soporte alguno. Dos desnudos femeninos dominan la escena y presentan, por sus muy diferentes y contrastadas facturas, un contrapunto visual que es paralelo al de los dos autorretratos del pintor, uno de los cuales apenas se distingue. El autorretrato de la izquierda, parcialmente oculto por el brazo de la modelo, es casi traslúcido y se antoja fantasmal. El de la derecha está mejor definido y se halla en un rectángulo que puede ser el de un lienzo ya concluido, como bien puede ser un espejo colocado en un caballete.

¿Y qué podemos decir de los misteriosos *spots*? ¿Por qué se presentan con igual intensidad en el espacio casi real del recinto y en el virtual del plano rectangular que exhibe el caballete? La lógica más absoluta, determinante en todo aquel que transita un laberinto y sabe que su recorrido está lleno de engaños que sólo la inteligencia puede resolver,

[13] Álvaro Medina, *Incertidumbres y ficciones en la pintura de Juan Cárdenas*, catálogo, Banco de la República, Bogotá, 2001, p. 33 y s.

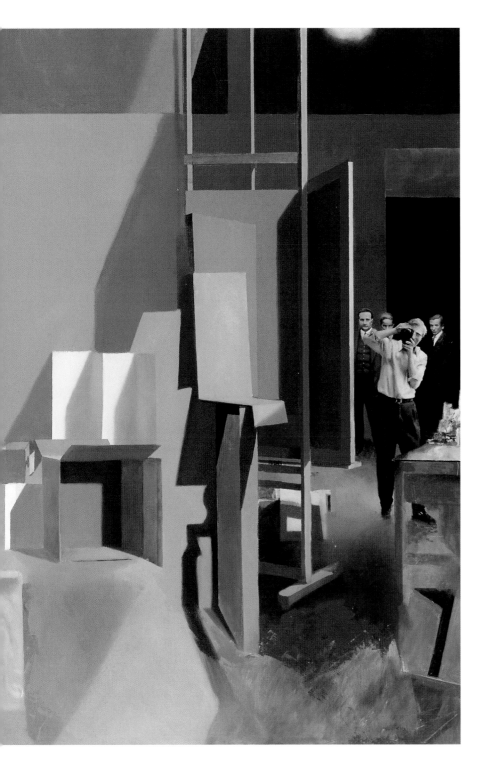

Interior del taller. 2005. Óleo sobre lienzo. 91 x 147 cm

me lleva a pensar que de por medio en este asunto, entre la imagen que sirvió de modelo y el pintor —originalmente situado en el espacio que el espectador está ocupando—, hay un cristal que puede reflejar la intensa luz de las lámparas pero no sus soportes, solución a un dilema que resulta ser de tal simplicidad que puede conducir a una falsa salida, propósito y virtud de todo buen laberinto[14].

La relación de Juan con el cubismo es tan estrecha como la que ha cultivado con los abstraccionistas geométricos Malevich, Mondrian y Albers. Este último fue su maestro en la Rhode Island School of Design, en Providence, y, aunque no lo parezca, constituye el punto de partida de lo que hace hoy. Aunque distintos, los colores de numerosos cuadros del Albers de *Homenaje al cuadrado* tienen el mismo valor o peso visual, o sea que dentro de la diferencia presentan semejanzas que se pueden comprobar con instrumentos ópticos. De esto se deduce que son algo más de lo que aparentan, juego de ser y no ser que estimuló la imaginación del discípulo cuando éste, en los inicios de su carrera profesional, realizó los altorrelieves titulados *Cubos grises* (1969) y *Puerta* (1970). Me refiero a altorrelieves que desde la distancia, gracias al uso de pigmentos, parecen ser absolutamente planos, o presentan detalles que se proyectan hacia el espectador cuando en realidad retroceden. La tridimensionalidad sólo se revela, con sus particularidades exactas, cuando miramos de cerca.

Con los dos relieves y con *Conocimiento y causa* (1972) dio inicio Cárdenas a su laborioso laberinto pictórico.

<hr>

14 Ibídem, p. 38.

Conocimiento y causa reconoce en el título que las destrezas adquiridas junto a Albers son el origen de su personalidad creativa, que el cuadro pone de presente con el recurso de no ser un Albers y parecerlo. Recurso arriesgado, sin duda, que se comprende si lo asumimos como una suerte de manifiesto visual que anuncia el curso que han de tomar sus complejas elaboraciones. La idea directriz se empeñaba en demostrar que el ojo puede ser engañado, independientemente de que la forma sea concreta (*Cubos grises*), figurativa (*Puerta*) o abstracta no objetiva (*Conocimiento y causa*). La idea directriz no cambió un ápice cuando firmó un cuadro como *Estudio de ordalías* (1972), con el que emprendió el camino hacia una figuración mucho más franca y directa, figuración que, por contradictorio que parezca, siguió sometida a las rigurosas reglas de la abstracción más exigente. El sesgo hacía de Juan un artista de su tiempo.

Resumiendo, tenemos que ha recibido la influencia del cubismo, pero no ha empleado nunca una sola forma emparentable con Braque o Picasso; retoma planteamientos de Malevich, Mondrian y Albers y no se parece a ninguno de esos tres grandes maestros. ¿Por qué? Porque diferenciándose de tantos otros artistas, las influencias no le llegan desde las formas que caracterizan los trabajos de los maestros que admira, sino desde las teorías formuladas por ellos y de sus vastas derivaciones conceptuales. Así no procedían los artistas del siglo xix. Vayamos un poco más allá y recordemos que el rescate y la apropiación de las formas de antaño ha consistido en la obsesión de contemporáneos suyos como Sandro Chia y David Salle. En contraste, tenemos que la particularidad de Juan Cárdenas ha sido el rescate y la apropiación de

Dos bogotanos con el artista. 1985. Óleo sobre papel y madera. 38 x 56,5 cm

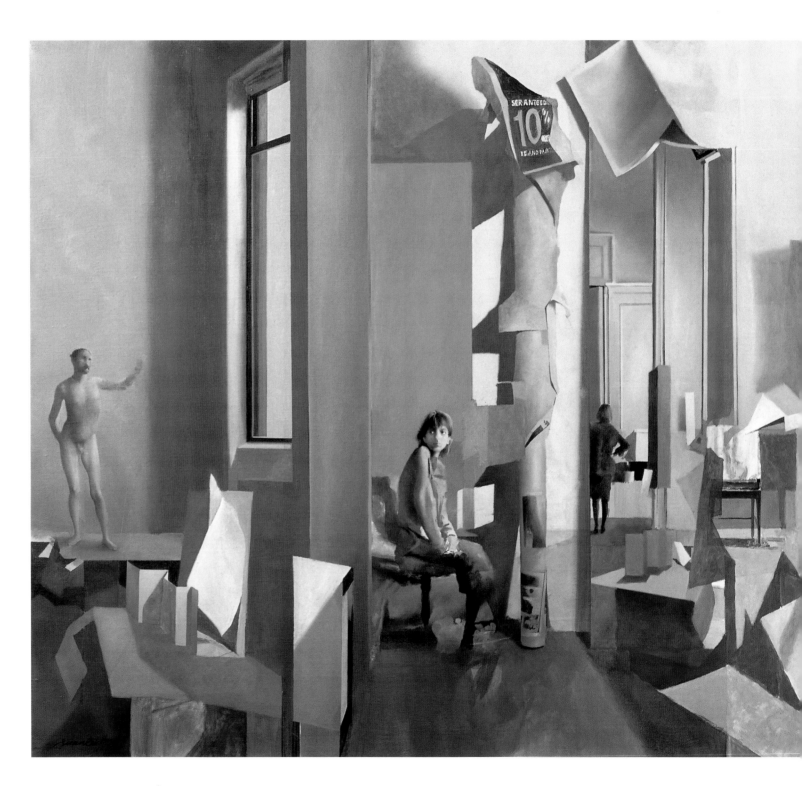

Interior en tríptico. 1997. Óleo sobre lienzo. 56,1 x 86,4 cm. Colección Banco de la República, Bogotá

Interior nocturno. 1988. Óleo sobre papel y madera. 46 x 61,5 cm

conceptos que, por corresponder a principios básicos del trabajo creativo, él ha podido materializar con otros lenguajes.

Para que se entienda bien lo que ahora planteo, tomemos un cuadro suprematista dinámico de Malevich, de esos que están resueltos como un torrente de planos geométricos de todas las formas, proporciones y colores, delimitados siempre por rectas. Tomémoslo y comparémoslo con el de Juan que se titula *Femme en noir dans un interieur* (1989). Reconocemos la presencia de una dama en medio de un salón con sillas, mesas, lienzos en blanco, marcos, cuadros pintados y una enorme cantidad de cajas apiladas en relativo desorden. El motivo del conjunto, reiterado a través de los años, es el estudio del pintor, tema que justifica el caos relativo que allí reina. Sin embargo, si nos fijamos bien observaremos que lo que denominamos silla, mesa, lienzo en blanco, marco y cuadro pintado no es sino un torrencial arreglo de planos geométricos de todas las formas y proporciones, sin los colores del maestro ruso. Juan ha "refigurado" el abstraccionismo vanguardista de Malevich y es por eso que me he atrevido a calificarlo de *abstraccionista figurativo*, etiqueta extraña pero exacta como ya expliqué en ocasión anterior[15], aplicable en presencia de una reflexión de auténtica raíz posmoderna como es ésta.

En arte las críticas que los posmodernistas han planteado son implacables con la pintura de caballete. Desde los años sesenta hemos sido testigos de cómo el quehacer artístico ha ido abandonando el lienzo y se ha posesionado del espacio físico de la sala de exposiciones. Al espacio real se llevaron, para ser instalados, toda clase de objetos, que se disponían con ideas claras y un sentido preciso de la semántica. La heterogeneidad de materiales y formas atropellaba el entendimiento, pero no lo violaba, porque realizado el necesario esfuerzo de comprensión todo adquiría sentido y se justificaba. En ciertos casos, el acceso a la sala llegó a ser bloqueado por la obra misma, obligándonos a presenciar —asomados a una puerta— la significativa intervención del artista. Muchas veces, cuando la exposición concluía, los objetos eran retirados y depositados en la basura, o, en el mejor de los casos, reciclados.

El irremediable descarte se explica porque la naturaleza misma de las obras hacía de la instalación un acontecimiento efímero. A su favor tenía que por aparatosa que fuera la idea directriz demostraba ser practicable, por lo tanto, tangible. Las buenas instalaciones causaban asombro porque nos introducían en dimensiones inexploradas. En sí mismas no eran obras arbitrarias, pero algo había de ello en la poética de la propuesta, contraposición que solía suavizar el humor. Pretender volver permanentes ciertas obras (es decir, conservarlas), no era practicable ni deseable. Su planteamiento conceptual reñía con su posible permanencia en el tiempo.

Fijémonos ahora en los arbitrarios arrumes de muebles y objetos que concibe Cárdenas y admitiremos que hay también una buena dosis de arbitrariedad poética. La intervención y alteración del espacio, efímera en el tipo de instalación evocado antes, se vuelve permanente en sus manos. Por supuesto, no se desarrolla en un espacio de aquí y de ahora,

---

[15] Ibídem, p. 42.

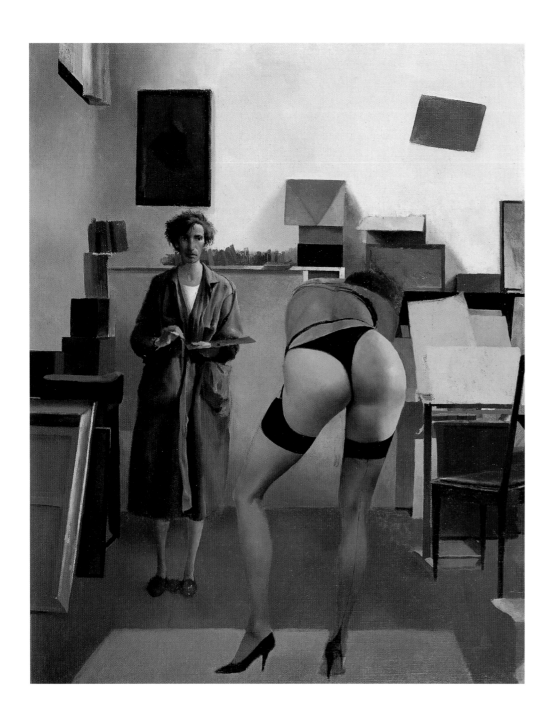

Autorretrato de frente. 1990. Óleo sobre papel y madera. 43,5 x 35 cm

Tres mujeres en la terraza. 1989. Óleo sobre papel y madera. 46 x 61,5 cm

tangible, que recorriéndolo podamos incorporar a nuestra vivencia personal. Pero no importa. Existe y podemos verlo en un lienzo pintado, no en la fotografía de catálogo que perpetúa la obra. Llevada a la tela, la idea directriz adquiere las vibraciones líricas que le confieren la línea, el plano, la composición y el color, sin perder la espontaneidad y la improvisación inherentes al acto de instalar.

Es más, como resultado de las lecciones que han derivado de la fotografía, Juan Cárdenas es un verdadero maestro del encuadre. Sobre los fotógrafos tiene la ventaja de no estar sometido al formato estándar que da la lente. Porque no lo está, los cuadros se alargan desmesuradamente para permitirle introducir en el campo pictórico todo lo que sea pertinente y conveniente, según el tema. A Cárdenas no lo constriñen bastidores ni paredes. Su espacio es ilímite porque ante todo es mental. ¿Obra *in situ*? Para qué, si en un claro ejercicio de libertad puede imaginar y pintar personajes, muebles u objetos en espacios cerrados como los de sus diversos talleres o, al aire libre, en los jardines de su casa en Bogotá, cuando no en las calles del barrio suburbano en que vive.

Que la espontaneidad permanece viva y el espíritu del artista se mantiene alerta son particularidades que podemos verificar en las series de fotos que registran, paso a paso, cómo Juan concibe y pinta un cuadro hasta darlo por concluido. ¿Lo concluye realmente? Tal vez no. Porque una vez completa la imagen primigenia, el resultado obtenido empieza a ser alterado de modo sustancial. Las modificaciones son secuenciales y absolutamente coherentes, ya que hay partes que no desaparecen y nos remiten, por lo tanto, al punto de partida de las situaciones que el pintor se empeña en proponer. Por supuesto, no se trata de las secuencias propias del dibujo animado, ya que el espacio cambia sin que cambie el encuadre. Descubrimos que la imaginación del pintor es elástica. Fluye sin cortapisas formales ni preconcepciones de tema más o menos tradicionales. Lo que Duchamp temía, Cárdenas lo ha resuelto con una plástica seca y poco dada al regodeo estético sin llegar a despreciar la estética. Viendo sus obras se concluye que si hay algún regodeo, éste es de tipo intelectual pero sin despreciar jamás lo sensual.

Cuando el buen instalador se apropia de una serie de elementos significativos y los sitúa en el espacio, trabaja como un *bricoleur*. El *bricolage* es un método de creación que el pintor aboca necesariamente de otro modo, ya que no emplea materiales factuales, sino sus proyecciones virtuales, captadas con líneas, planos y colores ordenados de cierto modo en un soporte bidimensional. En uno y otro caso, a las obras las habita una idea. En Cárdenas la idea se condensa en espacios ambiguos, un sentido del tiempo ambiguo, un desfile de personajes ambiguos y una serie de situaciones ambiguas. El lenguaje mismo es ambiguo. Algo pasa en estas pinturas aunque no sepamos exactamente qué, como sucede en el teatro de Samuel Beckett.

Ocurre que Juan ha sabido insertar en su obra la figura humana. ¿Quiénes son los personajes que vemos? Por un lado allegados de Juan, por el otro el propio Juan, autorretratado centenares de veces. Aquí y allá aparecen los involucrados como personajes anodinos, sin trascendencia, un poco autistas, sin conciencia de ellos mismos. Pero es que todo en estas pinturas parece anodino sin serlo a cabalidad. Cada personaje ocupa el espacio como si se tratara de una

La comedia. 1988. Óleo sobre papel y madera. 40 x 46 cm

Muchedumbre. 2007. Óleo sobre lienzo y madera. Tríptico, 50 x 151 cm

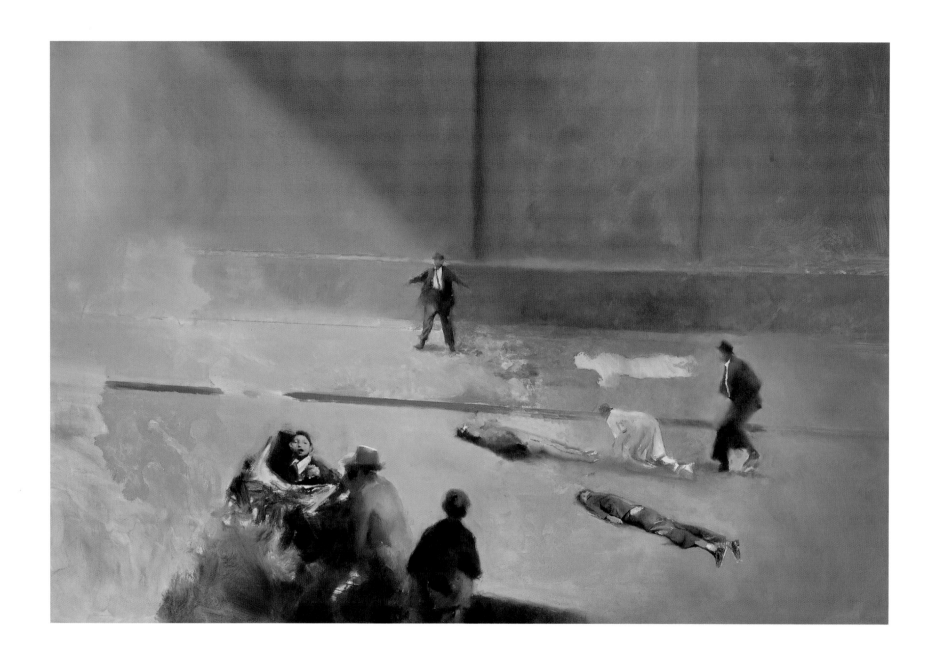

La calle. 1997. Óleo sobre lienzo. 54,2 x 81,1 cm

manzana en un bodegón. Su presencia parece dictarla, en principio, la idea plástica. ¿Pero no había dicho yo antes lo contrario? ¿No había inferido, a partir de cierto análisis, que la idea es la protagonista de los conjuntos y que lo plástico no es determinante? No lo niego, pero el lector debe recordar que también he estado hablando de laberintos, bifurcaciones y engaños.

Los trasvases espacio-temporales de Juan Cárdenas han estructurado un mundo característico, rico en contenidos, en el que el vacío parece ser el rasgo dominante. Aunque el pintor reúna dos, tres y más personajes, el vacío sigue ahí, intacto. ¿Estamos acaso en presencia de una crítica implícita al no entendimiento que recorre a nuestra era, pese a la omnipresencia de la comunicación global? Tal vez. Observemos que en ocasiones, en su teatral deambular, algún personaje nos interroga con la mirada, como si tratara de reconocer algo en nosotros, ¿quizás porque no sabe quién es él? El terrible dilema, situado en la dimensión que nos involucra como espectadores (con un recurso semejante, pero conceptualmente distinto al que podemos hallar en *Las Meninas* de Velázquez), ha desembocado en una pintura llena de ficciones[16].

Observemos ahora que en muchos cuadros el espacio no se antoja real sino ficticio. Está arreglado de tal modo que resulta escenográfico. Si en su relativo autismo el comportamiento de cada personaje es teatral, igual de teatrales son los sitios que frecuenta. Cuando Juan pinta muros o culatas ciegas de edificios, asuntos que ha trasegado por décadas,

la imagen sugiere la presencia de estructuras sin propósito práctico alguno. Están ahí, ocupando o bloqueando el panorama, pero no entendemos por qué. Su funcionalidad, si la tienen, no se revela. Si un personaje transita el paraje, su estar allí parece cosa del azar. No podemos explicarnos con certeza qué hace en el a veces inhóspito lugar. Un enigma se suma a otro enigma y es esto lo que mejor define la poética pictórica de un artista excepcional. De donde se concluye que en sus cuadros no hay encuentros, sino desencuentros. Lo afirmo pensando en Borges, pero también en el Adolfo Bioy Casares de *La invención de Morel*, novela cuyo narrador vive en un día distinto al de los personajes que cruzan su camino y, en consecuencia, no pueden sentir su presencia ni escuchar su voz cuando les habla.

Una suerte de desmesura anima a Juan. No es la desmesura literaria de Gabriel García Márquez ni la visual de Fernando Botero, sino la suya propia, hecha de indiferencias que inquietan. Podemos comprobarlo en *Tapias en la sabana* (2006), con esas figuras que se interrelacionan entre ellas dentro de la normalidad cotidiana, en medio de un paisaje violado por el muro que separa lo natural pero hostil y ominoso (los farallones verdes que se alzan al fondo) de un espacio atropellado por el hombre (la tierra arrasada y aplanada delimitada por la tapia que corta en dos la sabana). De muchas maneras, esta imagen desolada y triste prefigura el laberinto del calentamiento global. Se puede concluir afirmando que el laberinto lo lleva la humanidad dentro de sí misma. Reposa en nuestras propias contradicciones, insolubles, si continuamos el torcido rumbo que de hecho hemos tomado.

[16] Todo el texto de *Incertidumbres y ficciones* apunta a probar esta afirmación.

Tarde de octubre. 1978. Óleo sobre lienzo. 14,5 x 22,5 cm   63

Paisaje desértico. 2007. Óleo sobre lienzo. 39 x 127 cm   65

68   **Camino al castillo.** 1987. Óleo sobre papel y madera. 32 x 52 cm

Horizonte de Boyacá. 1987. Óleo sobre lienzo y madera. 17,2 x 49,5 cm   71

72   **Nube rosada.** 1988. Óleo sobre lienzo. 37 x 46 cm

Paisaje andino. 1992. Óleo sobre papel y madera. 23 x 37,5 cm 73

Los Llanos en invierno. 1997. Óleo sobre papel y madera. 35 x 45,5 cm

Paisaje de Aguacaliente. 1974. Óleo sobre lienzo. 50,5 x 64,5 cm

Pintor y nube. 1986. Óleo sobre papel y madera. 69 x 54 cm

Personaje de espaldas en un paisaje. 1989. Óleo sobre lienzo y madera. 17 x 24,6 cm

80   **Eucaliptos sabaneros.** 1985. Óleo sobre lienzo. 55,5 x 71 cm

La reunión. 1984. Óleo sobre lienzo. 45 x 53,5 cm   83

Muro en la sabana. 2005. Óleo sobre lienzo. 36,5 x 70,5 cm

Personaje en un lote. 1986. Óleo sobre papel y madera. 30,5 x 41 cm

Muro de mediodía. 1975. Óleo sobre lienzo. 54,2 x 81 cm

Atardecer. 2005. Óleo sobre lienzo. Díptico, 55 x 373 cm

Niña en la calle. 1985. Óleo sobre papel y madera. 35 x 48,5 cm

Casa en la Quinta. 1975. Óleo sobre lienzo. 68 x 70 cm 93

Niña frente a una tapia. 1998. Óleo sobre lienzo. 52 x 88 cm   95

96   **La escalera.** 1988. Óleo sobre lienzo. 37 x 46 cm

Muro y montaña. 1989. Óleo sobre lienzo. 53,8 x 72,8 cm   97

98   **Lote y tapia.** 1987. Óleo sobre lienzo. 50 x 65 cm

Puerta tapiada. 1975. Óleo sobre lienzo. 44,5 x 50 cm   99

100   **Tapia gris.** 1969. Óleo sobre lienzo. 35,5 x 61,5 cm

Cuatro árboles frente a una tapia. 1988. Óleo sobre lienzo. 59 x 82 cm (destruido) 101

Villa del Prado. 2005. Óleo sobre lienzo. 23,5 x 70,5 cm   103

104   Tapia rosada. 1997. Óleo sobre lienzo. 61 x 86,5 cm

Tapia pequeña. 2007. Óleo sobre madera. 23,5 x 34 cm   105

Obra negra. 1990. Óleo sobre lienzo. 26 x 55,5 cm   107

108   **Jardín en la mañana.** 1988. Óleo sobre lienzo. 35 x 58 cm

Jardín con curubo. 1991. Óleo sobre lienzo. 30,7 x 73,6 cm   111

112   **Arbusto en sol.** 1990. Óleo sobre lienzo. 38,7 x 46,9 cm

Paisaje de ciudad. 2007. Óleo sobre lienzo. 97,3 x 122 cm   113

Santafé sobre el río San Francisco en 1830, reconstrucción. 1999. Óleo sobre lienzo. 55,7 x 71 cm   115

Parque de Santander en 1860, reconstrucción. 1991. Óleo sobre papel y madera. 30,5 x 81,5 cm. Colección Banco de la República, Bogotá

118   **Carrera séptima**. 1999. Óleo sobre lienzo. 59,5 x 72 cm

Variaciones sobre Felipe Próspero. 1991. Óleo sobre lienzo. 55,5 x 61 cm   119

120   **Puerta azul.** 1972. Óleo sobre lienzo. 33 x 60 cm

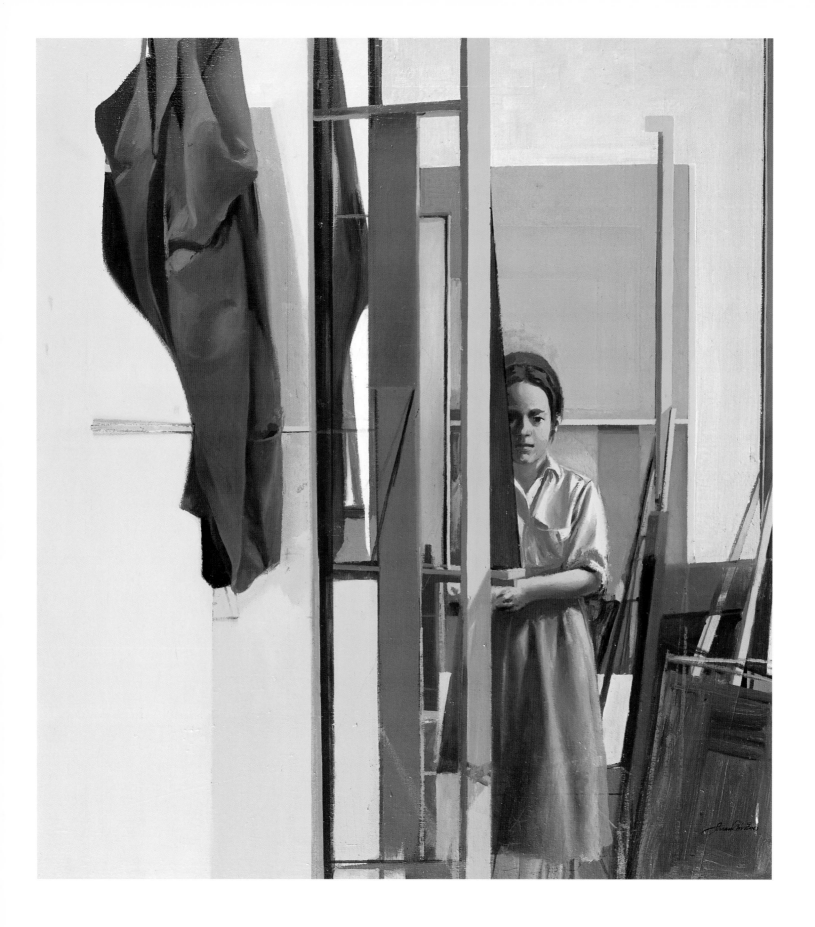

122   **Estudio sobre Albers.** 1970. Óleo sobre lienzo con madera. 76 x 68,5 cm

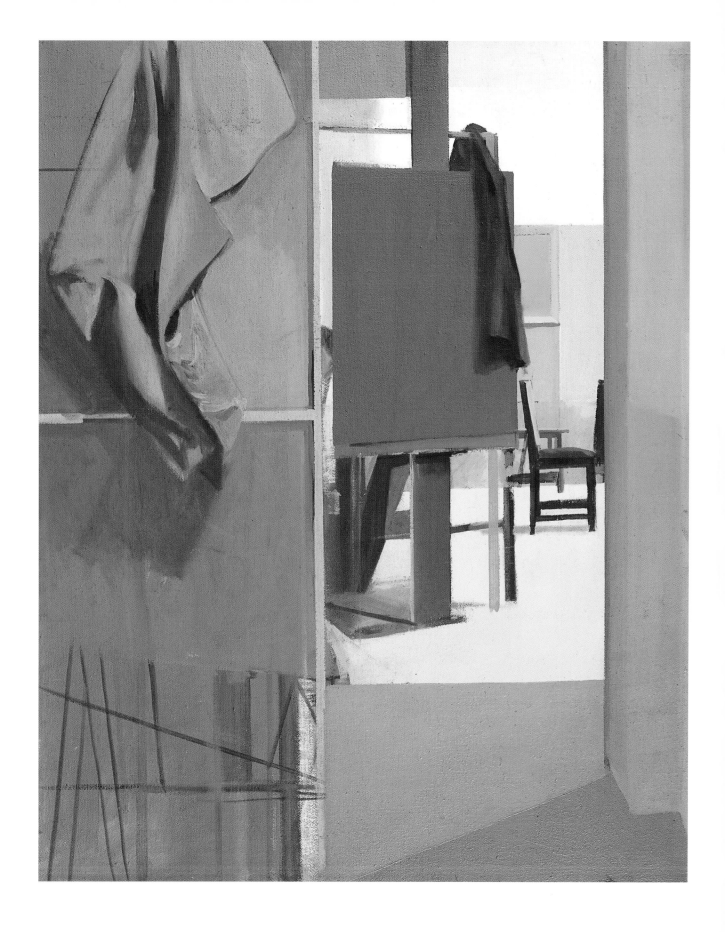

Interior con saco. 1969. Óleo sobre lienzo. 75,3 x 60,5 cm   123

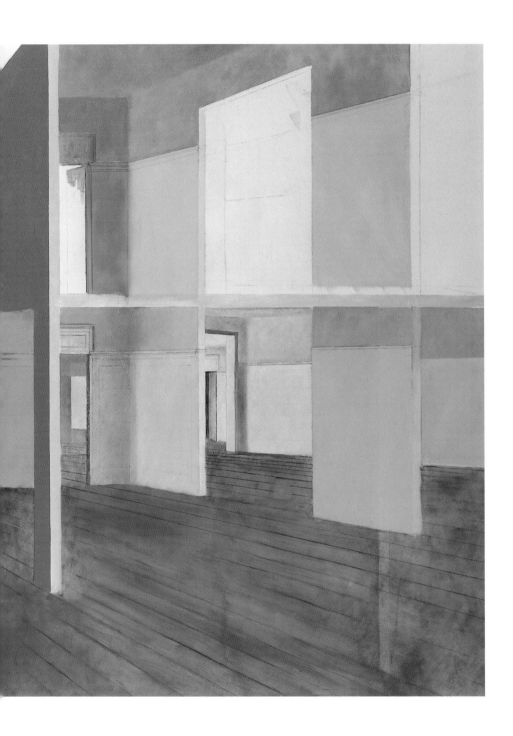

Interior con desnudos. 2007. Óleo sobre lienzo. Tríptico, 71 x 166,5 cm   125

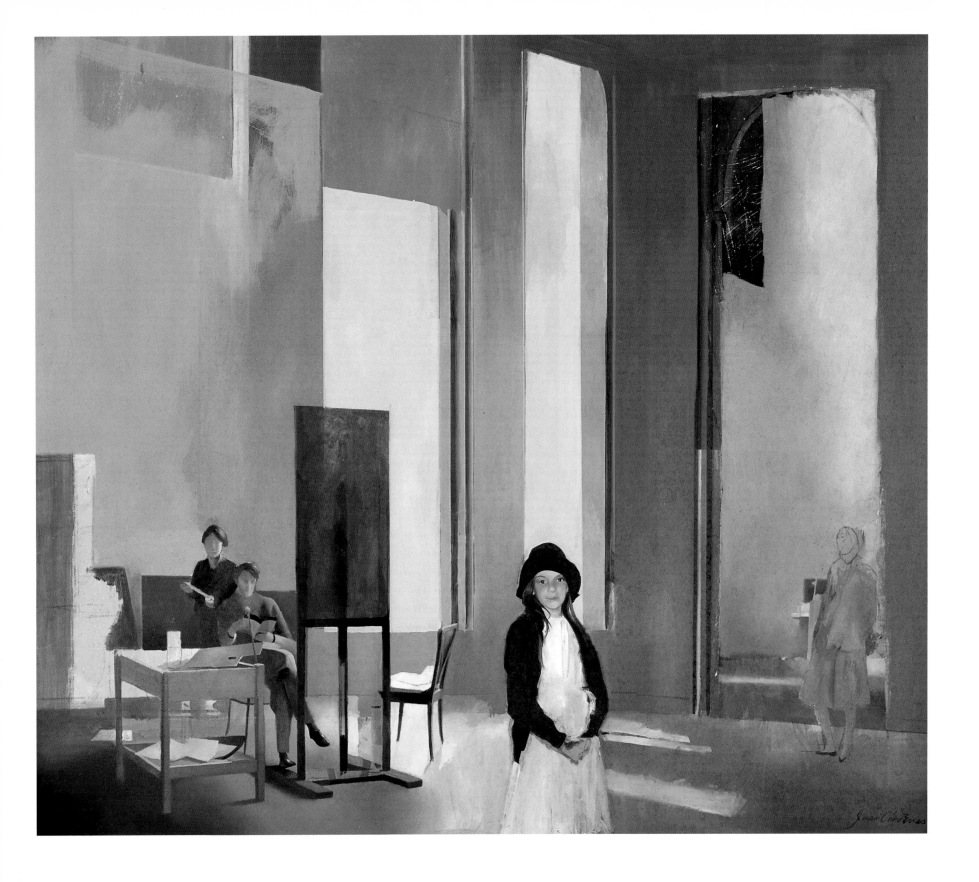

126   Interior con familia. 1985. Óleo sobre lienzo. 60 x 76 cm

Interior con tres ventanas azules. 1985. Óleo sobre lienzo. 56 x 71 cm   127

128   Interior con Beatriz. 1982. Óleo sobre lienzo. 42 x 53 cm

130   **Taller de la 94**. 1972. Óleo sobre lienzo. 80 x 95 cm

Interior con cartones. 1980. Óleo sobre lienzo. 59 x 49 cm   131

Interior con mujer en negro. 1989. Óleo sobre lienzo. 61,5 x 50,8 cm

Mujer en negro en interior. 1988. Óleo sobre lienzo. 46 x 61 cm   133

134   Autorretrato de espaldas. 1985. Óleo sobre lienzo. 71 x 56 cm

136   Interior con mancha azul. 1999. Óleo sobre lienzo. 71 x 86 cm

Interior con espejos. 1988. Óleo sobre lienzo. 55,7 x 71,2 cm   137

138   **Tres personajes en el estudio.** 1988. Óleo sobre lienzo. 54 x 73 cm

El artista entre los espejos. 1988. Óleo sobre lienzo. 54 x 72,8 cm   139

140   **Variación sobre bodegón.** 1990. Óleo sobre lienzo. 55,5 x 71 cm

Interior con espejos. 1990. Óleo sobre lienzo. 49,8 x 72,5 cm   141

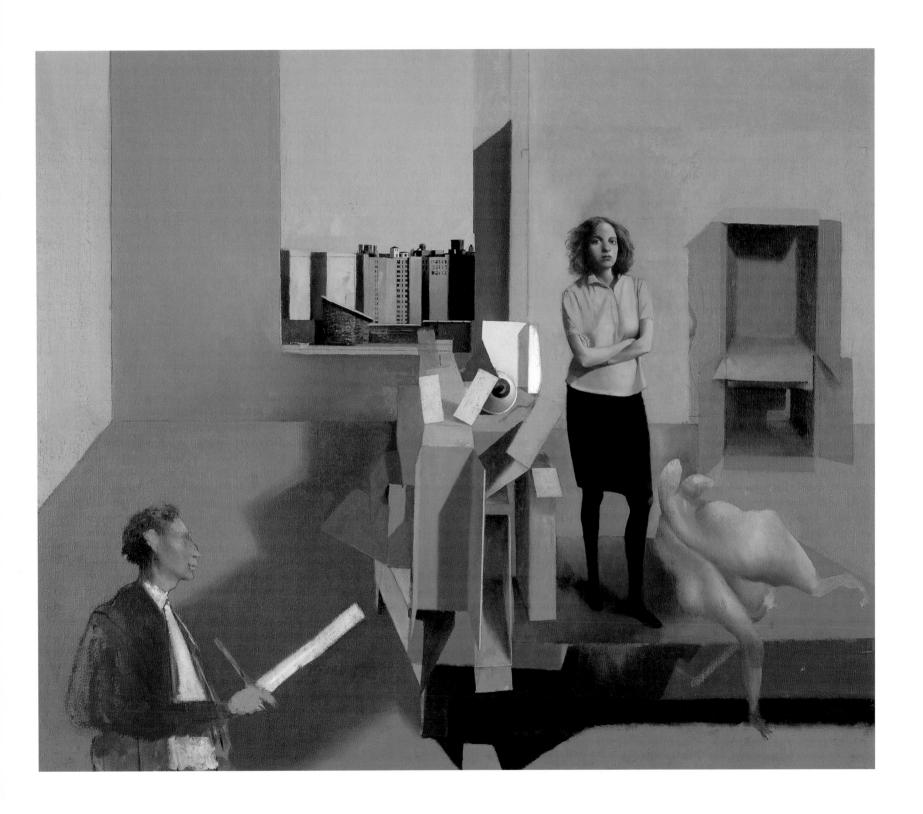

142 **Modelo en la tarima.** 1999. Óleo sobre lienzo. 51,3 x 61,2 cm

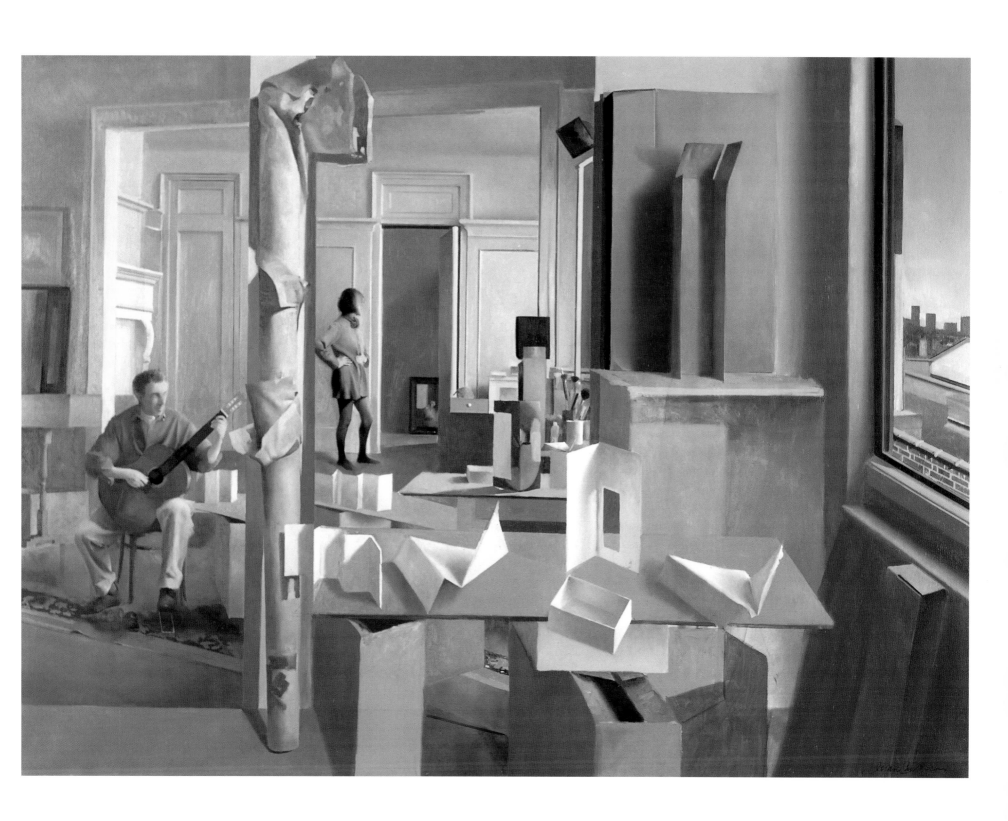

Interior con guitarrista. 1996. Óleo sobre lienzo. 53,6 x 72,6 cm   143

144   **Bodegón con papeles y figura.** 2007. Óleo sobre lienzo. 48 x 66 cm

Interior con mujer. 1999. Óleo sobre lienzo. 60 x 94 cm   145

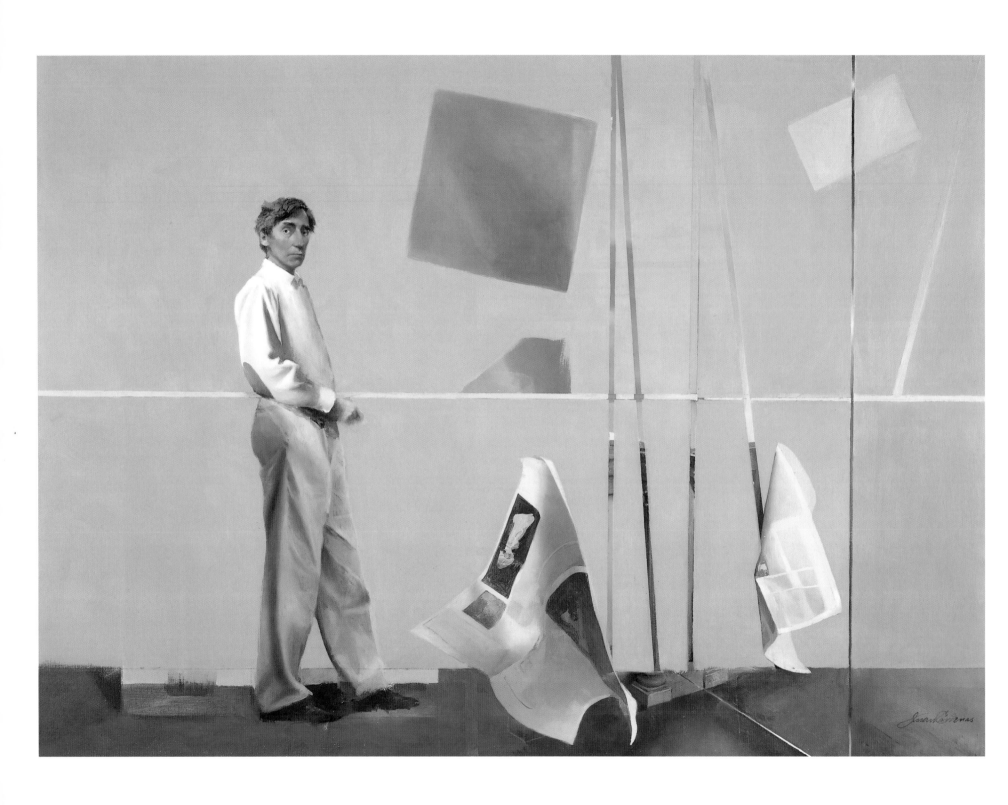

146   Tercera variación. 2000. Óleo sobre lienzo. 50,7 x 70,8 cm

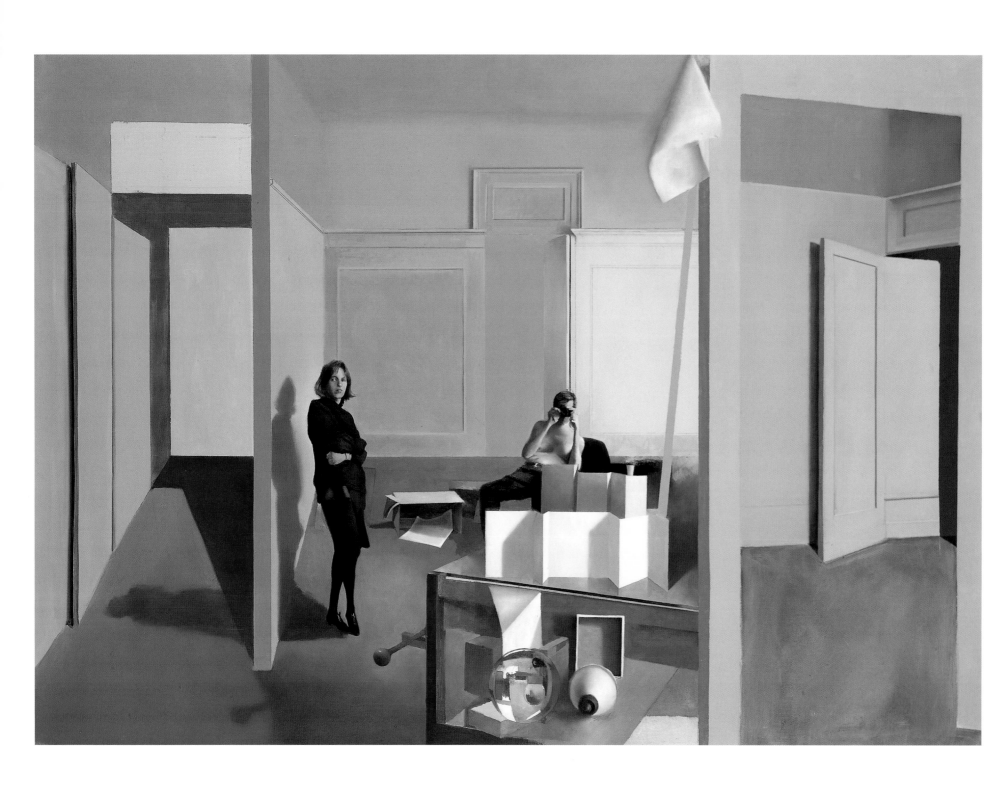

148   Interior con Mónica. 2005. Óleo sobre lienzo. 61 x 86,5 cm

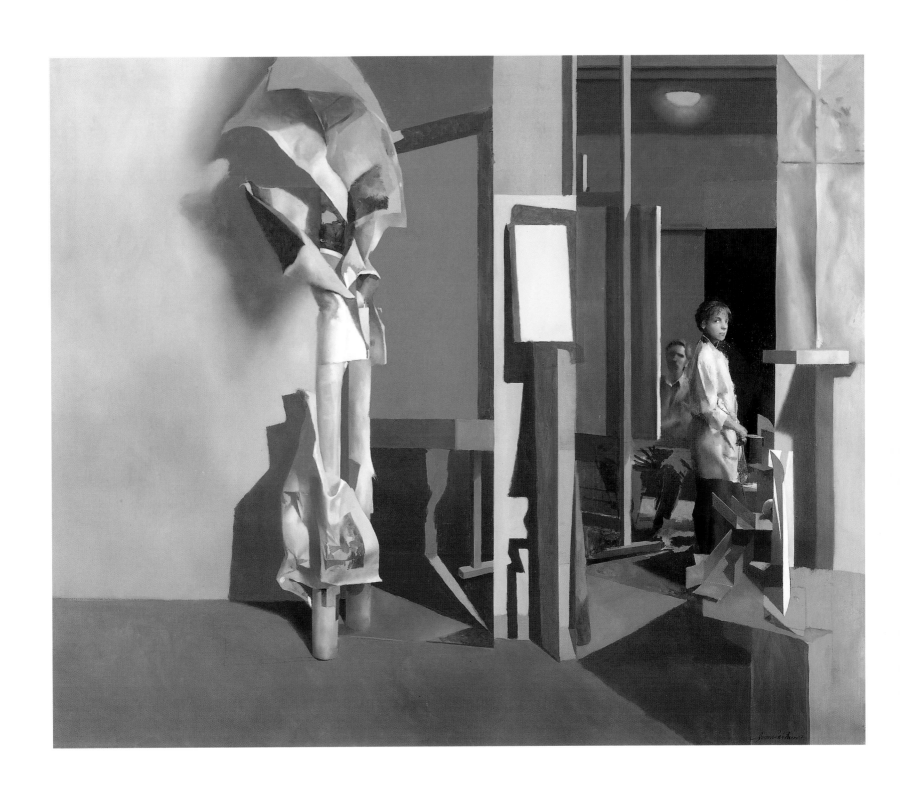

Interior con ventana azul. 1997. Óleo sobre lienzo. 71,2 x 85,9 cm   149

150   Interior blanco con tres bogotanos. 2004. Óleo sobre lienzo. 44 x 59 cm

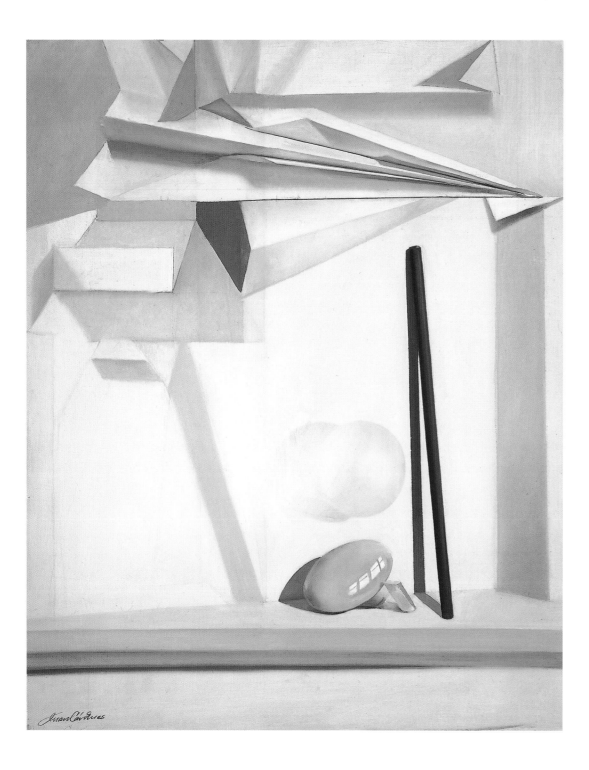

Naturaleza muerta con lápiz. 1984. Óleo sobre lienzo. 41 x 33 cm

El violín de Harnett. 1975. Óleo sobre lienzo. 35 x 36 cm

154   Bodegón con llave. 1996. Óleo sobre cartón preparado. 38 x 46 cm

Bodegón. 1987. Óleo sobre papel y madera. 47 x 39 cm   155

Autorretrato en camisa kaki. 1975. Óleo sobre lienzo. 55 x 50 cm

Autorretrato frente a papel. 1991. Óleo sobre lienzo. 40 x 49,5 cm   157

158   **Retrato de hombre.** 1975. Óleo sobre madeflex. 16 x 11 cm

Retrato de hombre en sepias. 1979. Óleo sobre lienzo. 26 x 18 cm

El amigo. 1984 / 85. Óleo sobre lienzo. 47 x 39 cm   159

160   **Cabeza de hombre.** 1985. Óleo sobre cartón. 45,5 x 30,5 cm

Fulano de tal N.º 1. 1973. Óleo sobre lienzo. 57 x 52 cm   Autorretrato en sombra. 1972. Óleo sobre lienzo. 62 x 77 cm

164 **Figura con bodegón.** 1976. Óleo sobre lienzo. 50 x 61 cm

Homenaje a Whistler. 1974. Óleo sobre lienzo. 83,8 x 79,5 cm

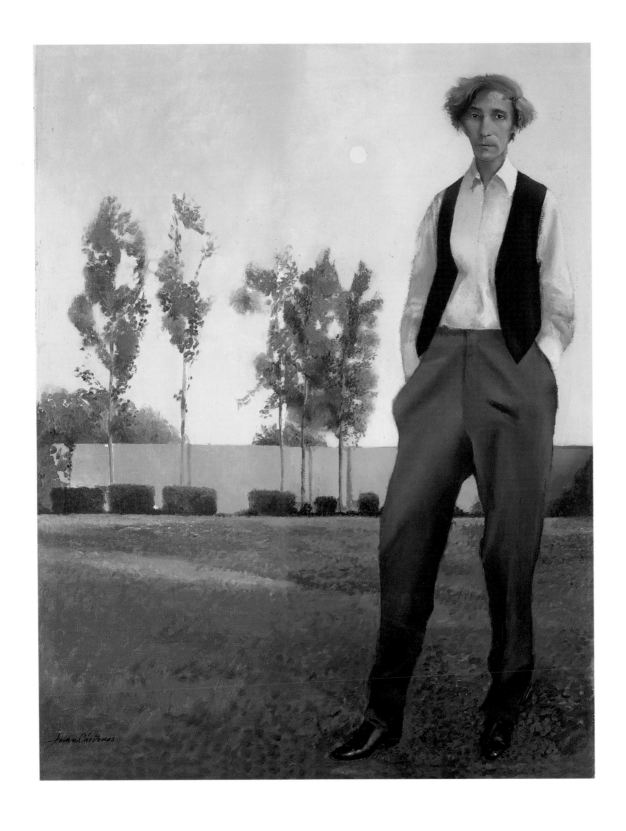

Autorretrato con cielo amarillo. 1988. Óleo sobre lienzo. 50 x 40 cm

El hombre del mechón. 1985. Óleo sobre lienzo. 66,5 x 55,5 cm

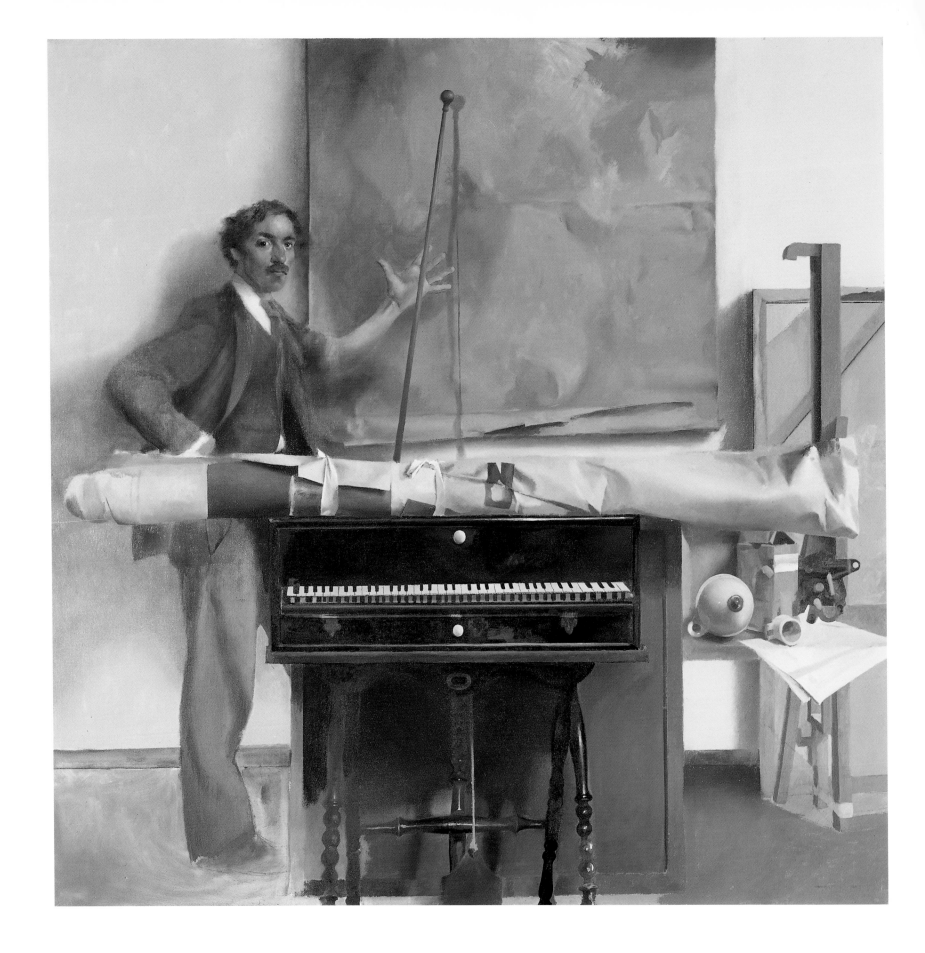

Autorretrato con caballete. 1975. Óleo sobre lienzo. 84 x 80 cm

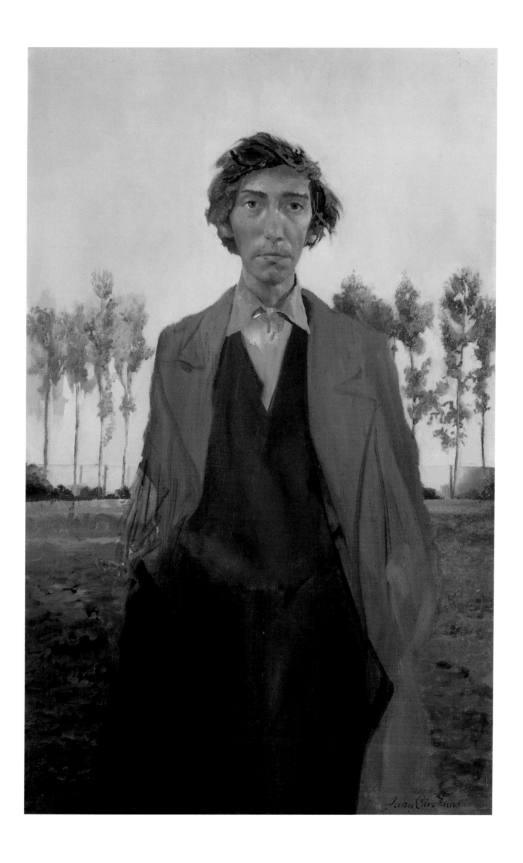

El paseo. 1984. Óleo sobre papel y madera. 45,5 x 29 cm

Autorretrato con anteojos. 1974. Óleo sobre lienzo. 55 x 50 cm   Hombre con parche. 1974. Óleo sobre lienzo. 60 x 75 cm

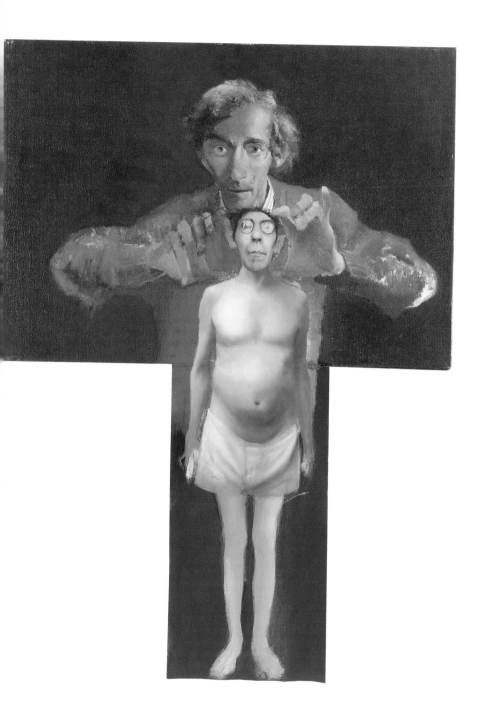

Autorretrato con fondo azul. 1991. Óleo sobre lienzo. 65,7 x 48,1 cm

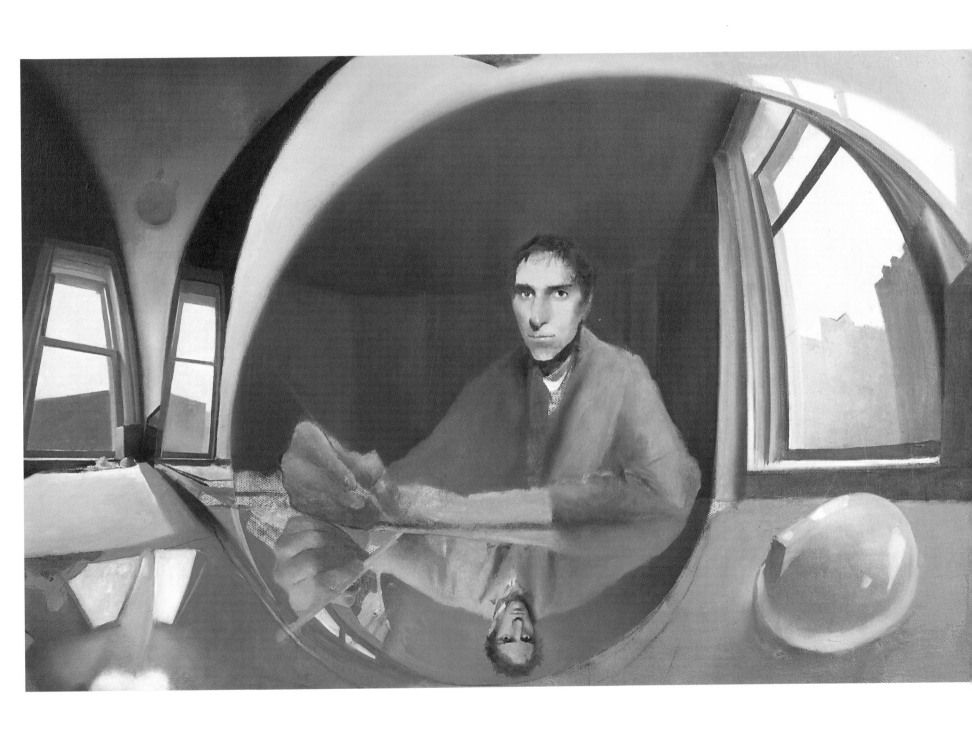

Hombre reflejado. 2007. Óleo sobre lienzo. 33,5 x 50,5 cm   17

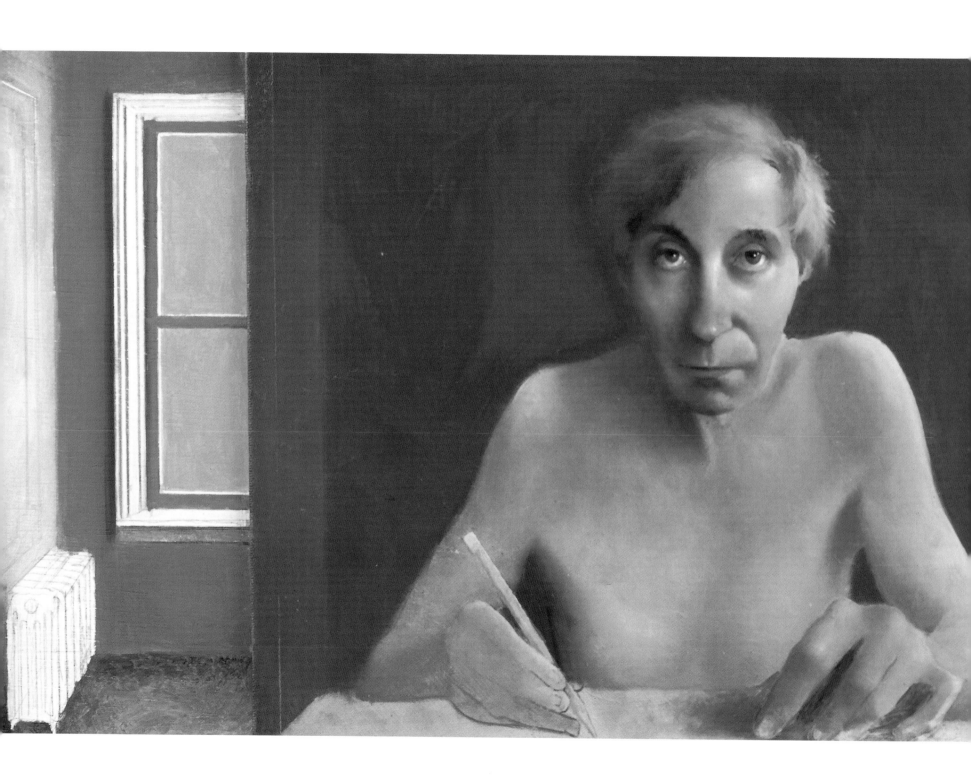

74   **Interior con radiador.** 2006. Óleo sobre triplex y cartón preparado. 27,3 x 58 cm

Retrato de Rafael Puyana y Andrés Segovia. 1991. Óleo sobre lienzo. 71 x 86,5 cm

Mónica con zorros. 1979. Óleo sobre lienzo. 63,5 x 37 cm

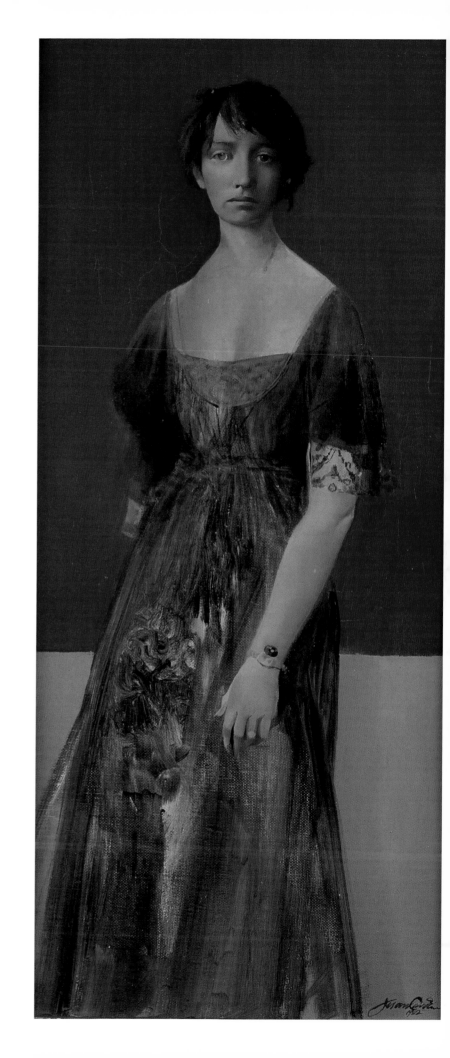

Camille Claudel. 1982. Óleo sobre lienzo. 55,3 x 25,4 cm

Retrato de Amalita. 1990. Óleo sobre lienzo. 78,5 x 38,5 cm   **Mónica.** 1991. Óleo sobre papel. 46 x 27 cm

El poeta. 1984. Óleo sobre lienzo. 80 x 40 cm

Eugène Delacroix. 1985. Óleo sobre cartón. 44,5 x 30 cm

Torso de mujer. 1985. Óleo sobre papel. 41 x 30,5 cm

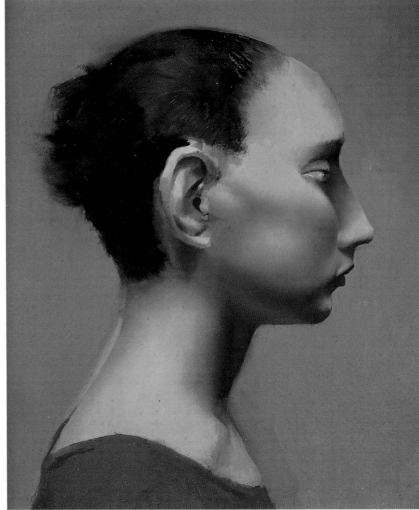

184   **Mujer pelirroja de perfil.** 1989. Óleo sobre tablex. 26,5 x 19,5 cm   **Perfil de mujer.** 1987. Óleo sobre carton. 23 x 20 cm

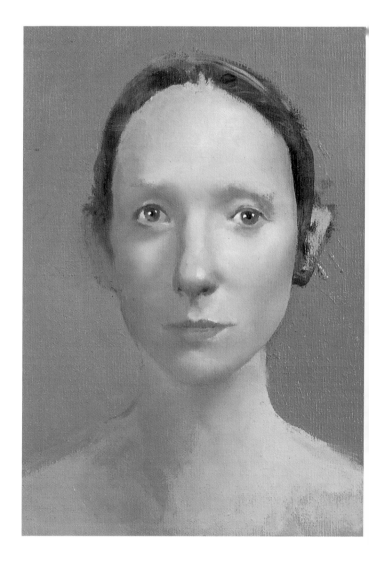

Mujer de frente. 1988. Óleo sobre lienzo. 18,5 x 13 cm   Retrato de Cleonice. 2007. Óleo sobre lienzo. 15,5 x 11 cm   185

Retrato de joven. 1989. Óleo sobre lienzo. 20 x 12 cm   Hombre sobre fondo rosado. 1988. Óleo sobre papel y madera. 46 x 34 cm

Edgar Degas. 1988. Óleo sobre lienzo y madera. 43,5 x 21 cm

Estudio de pose. 1984. Óleo sobre madera. 35 x 23 cm

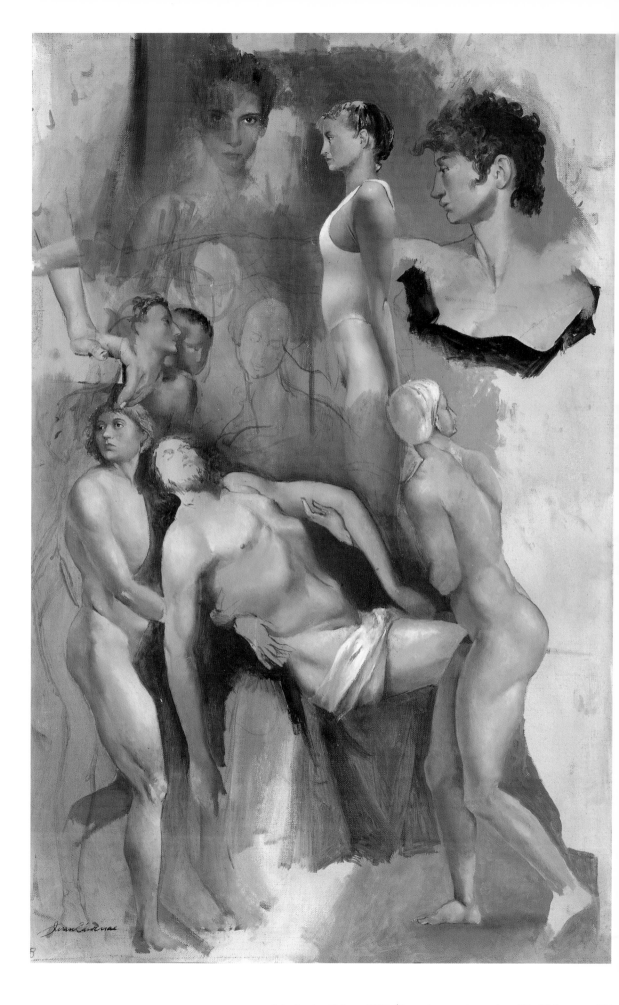

Estudio de clásicos. 1987. Óleo sobre papel y madera. 57 x 37,5 cm   189

190   Ocho bañistas. 1990. Óleo sobre lienzo. 27,2 x 41,5 cm

Seis bañistas. 1990. Óleo sobre lienzo y madera. 20,5 x 34 cm   191

Cuatro bañistas. 2000. Óleo sobre lienzo. 36 x 61 cm

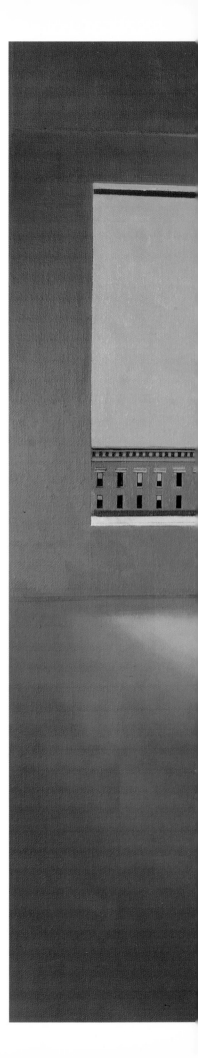

194   **New York Academy.** 2004. Óleo sobre lienzo. 61 x 76,2 cm

Perro y figura animaloide. 1996. Óleo sobre lienzo. 39,2 x 50,1 cm

Cadaver con figuras. 2000. Óleo sobre lienzo. 46 x 61 cm   19

Atardecer sabanero. 1991. Óleo sobre lienzo. 36 x 59 cm

El ocaso. 1991. Óleo sobre lienzo. 35,2 x 21,5 cm

Hombre de perfil. 1980. Carboncillo, lápiz de carbón y pastel sobre papel. 45 x 35 cm

Pariente con levantadora. 1980. Carboncillo y lápiz de carbón sobre papel. 45 x 35 cm

Mujer en negro. 2007. Grafito sobre papel. 38 x 34,5 cm   **Mujer de pelo largo.** 2007. Carboncillo sobre papel. 43 x 35,5 cm

204　Ocho caras. 2006. Grafito sobre papel. 30,5 x 44 cm

Estudio de cabezas con hombre. 2006. Grafito sobre papel. 30,5 x 44 cm

Siete cabezas de perfil con Australopithecus. 1990. Lápiz de carbón sobre papel. 35,5 x 43 cm

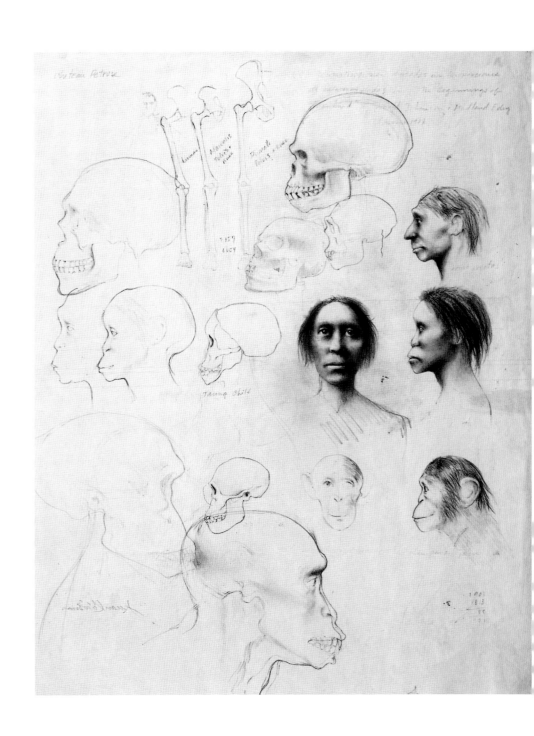

Wanda Landowska. 1979. Lápiz de carbón sobre papel. 35 x 45 cm

Retrato de Amalia. 1980. Carboncillo y lápiz de carbón sobre papel. 35 x 30 cm 209

210   **N. N.** 2006. Grafito sobre papel. 30,5 x 44 cm

Autorretrato acostado. 1999. Grafito y carboncillo sobre papel. 35,5 x 43,2 cm   21

Paisaje. 1976. Pastel sobre papel. 30 x 39 cm

Cronología

1939

Juan Cárdenas nace el 12 de agosto en Bogotá, Colombia. El segundo de seis hijos del matrimonio de Jorge Cárdenas Nannetti Mosquera y Margarita Arroyo Arboleda, ambos oriundos de Popayán.

1947

La familia Cárdenas Arroyo viaja a los Estados Unidos donde se establece en Pelham, condado de Westchester, estado de Nueva York. En septiembre empieza la primaria en el Colonial School de Pelham, N. Y.

1958

Termina la escuela secundaria en Pelham Memorial High School. Inicia sus estudios de Bellas Artes en Rhode Island School of Design, en Providence, Rhode Island.

1961

La familia se traslada a México.

1962

Termina sus estudios de arte y obtiene el título de Bachelor of Fine Arts (BFA) en Rhode Island School of Design, Providence, Rhode Island. Participa por primera vez en exposiciones colectivas, en Rensselar Polytechnic Institute y en De-Toro-Tonoff Gallery, ambas en Providence. Visita a la familia en México.

1963

En febrero es llamado a prestar servicio militar en el Ejército de los Estados Unidos. Es asignado al 70th Engineer Batallion (Combat

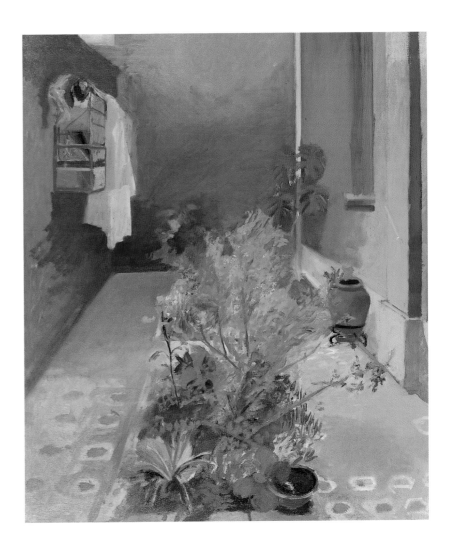

Patio rosado. 1968. Óleo sobre lienzo. 59,8 x 69,8 cm

Margot reflejada. 1992. Óleo sobre lienzo. 71 x 87 cm

Engineers) de la 101st Airborn Division domiciliada en Ft. Campbell, Kentucky, donde participa en las maniobras militares para preservar el orden durante los disturbios causados por las demostraciones en pro de los derechos civiles.

1965

Termina el servicio militar y regresa de vacaciones a Colombia, donde decide quedarse. Comienza a ejercer el periodismo como caricaturista político en los periódicos *El Tiempo, La República* y *El Espacio,* y la revista *Flash*.

1966

Es encarcelado por una caricatura que representa el escudo nacional, publicada en el periódico *La República*, en la que denuncia los inicios del tráfico de cocaína en Colombia. La denuncia penal en su contra le acusa de haber cometido el delito de lesa patria por haber profanado el escudo nacional en una caricatura. El artista rinde indagatoria y es dejado en libertad.

1967

Primera exposición en Bogotá de caricaturas y dibujos en el Centro Colombo Alemán, en la que exhibe caricaturas de la actualidad política.

1969-1971

Profesor de pintura, dibujo y anatomía. Juan Antonio Roda le propone la cátedra de dibujo anatómico y dibujo artístico en la Escuela de Artes de la Universidad de los Andes en Bogotá. Entre los alumnos conoce a su futura esposa, Mónica Meira-Serantes. Cárdenas lleva a sus alumnos a dibujar cadáveres en la Facultad de Medicina de la Universidad Javeriana, experiencia que suspende ante la repugnancia

Autorretrato joven. 1969. Óleo sobre lienzo. 60 x 45 cm

Retrato de Juan y Andrés. 1984. Óleo sobre lienzo. 51,5 x 37,5 cm

que sienten los alumnos cuando ven los órganos humanos flotando en tinas de formol.

1971
Es incluido en la muestra "Grabadores y Dibujantes de Colombia" en la Biblioteca Luis Ángel Arango de Bogotá y en la I Bienal de Artes Gráficas del Museo La Tertulia de Cali, Colombia. Participa en el XXII Salón Nacional. El 8 de diciembre contrae matrimonio con Mónica Meira-Serantes.

1971-1972
Viaja a Europa y visita Francia, Italia y España.

1972-1983
Vive en Bogotá.

1972
Participa en el XXII Salón Nacional.

1973
Realiza su primera exposición individual en el Museo de Arte Moderno de Bogotá. La Biblioteca Luis Ángel Arango lo incluye en una exposición colectiva, y en "32 Artistas Colombianos de Hoy" del Museo de Arte Moderno de Bogotá. La Galería Conkright de Caracas lo incluye en una exposición colectiva.

1974
Es incluido en una exposición colectiva de la Galería Cien de Bogotá. La Galería Conkright de Caracas expone su obra en la feria de Basilea, Suiza. Marta Traba lo invita a una exposición colectiva titulada

Sin título. 1970. Pastel sobre papel, 61 x 46 cm

Bolívar. 2007. Óleo sobre lienzo. 84,5 x 45,2 cm

"Arte Colombiano de Hoy", que tiene lugar en la Sala Mendoza en Caracas, Venezuela. En Medellín participa en el Salón De Lima, dedicado al arte joven. Recibe el primer premio en el XXV Salón Nacional en Bogotá con el dibujo *Autorretrato*.

1975
Exposición individual de pintura y dibujo en la Galería Conkright, en Caracas. Diseña la escenografía y los trajes para *El elíxir del amor* de Gaetano Donizetti para la Ópera de Colombia.

1976
Exposición colectiva en Basilea, Suiza. Claude Bernard viene a Colombia, visita su taller y le propone manejar su obra. Participa en la III Bienal de Artes Gráficas en el Museo La Tertulia de Cali. Inicia el proyecto de realizar una serie de reconstrucciones históricas al óleo de personajes y lugares de la historia de Colombia.

1977
Exposición individual en la Galería Adler-Castillo de Caracas. Participa en la exposición "El Arte Colombiano del Siglo xx", que tiene lugar en la Casa de las Américas en La Habana, Cuba, exposición que es curada por Álvaro Medina y Germán Rubiano Caballero.

1978
Exposición conjunta con su hermano Santiago Cárdenas, realizada en Popayán con motivo del centenario de la muerte del presidente Tomás Cipriano de Mosquera.

1979
Viaja a Europa.

Tomás Cipriano de Mosquera. 1980. Óleo sobre lienzo. 76,5 x 61 cm

Autorretrato con cráneos. 1982. Óleo sobre lienzo. 35 x 27 cm

1980

Primera exposición individual de pinturas y dibujos en la Galérie Claude Bernard, París, Francia, a la que permanece ligado desde entonces.

1981

Participa en "Le Portrait", exposición colectiva realizada en la Galérie Bateau Lavoir, en París.

1982

Exposición individual en Arco, Madrid, y en la Chicago Art Fair, ambas con la Galérie Claude Bernard.

1983-1987

Vive en París, Francia.

1983

Muestra individual de pintura y dibujo en la Chicago Art Fair, con la Galérie Claude Bernard.

1984

Participa en la exposición colectiva "Une Ouverture: Peintures, dessins, sculptures", en la Galérie Claude Bernard.

1985

Expone individualmente en la FIAC, París, y en Chicago, ambas con la Galérie Claude Bernard.

1984-1985

El curador Joe Shanon lo incluye en la exposición "Representation Abroad", que se realiza en el Hirshhorn Museum and Sculpture

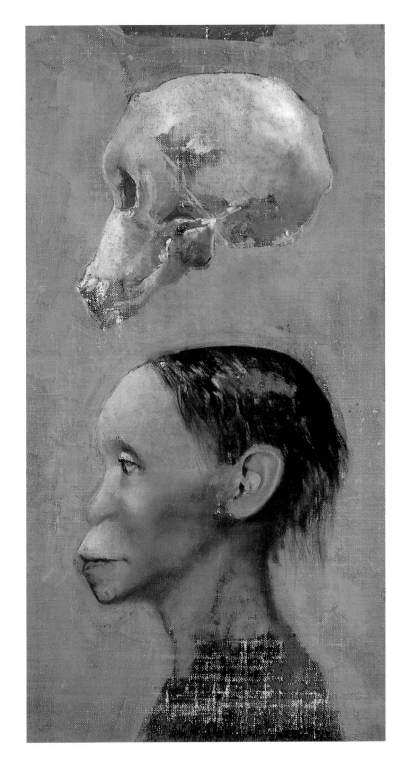

Reconstrucción de un cráneo. 1990. Óleo sobre madera. 25,3 x 13,2 cm

El artista cargando su cabeza. 1980. Óleo sobre papel y madera. 41 x 30,5 cm

Garden en Washington. Cada uno de los artistas escogidos realiza una muestra individual.

1986

Breve estadía en Bogotá. Pinta el retrato del presidente Virgilio Barco.

1989-1992

Vive en Bogotá.

1989

Mayo-junio: Expone individualmente dibujos y pinturas en la Galérie Claude Bernard en París. En el texto del catálogo, el crítico e historiador argentino Damián Bayón escribe que la muestra lo confirma "en la idea de que Juan Cárdenas es un pintor interior, incluso cuando pinta lo que ve fuera".

1991

Exposición individual en el Salón Cultural de Avianca en Barranquilla, evento que acompaña un recital del clavicembalista Rafael Puyana. Será la segunda y última exposición que realiza en Colombia hasta la retrospectiva en 2001. Seguros Bolívar publica un libro sobre su obra con texto de Juan Gustavo Cobo Borda.

1992

Establece residencia en Nueva York hasta hoy.

1993-1996

Desempeña el cargo de profesor de dibujo en la escuela de posgrado de la New York Academy of Art, en la ciudad de Nueva York.

Mujer en negro. 1980. Carboncillo sobre papel. 35 x 28 cm

Retrato entre bastidores. 1975. Óleo sobre lienzo. 80 x 80 cm

1993

Expone individualmente en la Miami Art Fair con la Galérie Claude Bernard.

1994

Participa en la exposición colectiva "The Presence of the Nude in Drawing" que se realiza en el Colombian Center de Nueva York. En el texto del catálogo, Thomas W. Sokolowski escribe que los dibujos de Cárdenas recuerdan "las páginas de los diarios de Leonardo da Vinci".

1995

El Banco de la República de Colombia le comisiona el diseño de dos billetes: el de 5 000 pesos, honrando a José Asunción Silva y el de 20 000 pesos, honrando a Julio Garavito.

1996

Exposición individual en la FIAC, París, con la Galérie Claude Bernard.

1998

Expone nuevamente en ARCO, Madrid, con la Galérie Claude Bernard. Participa en la exposición "Homenaje a Magritte" (Año Magritte), en el Museo de Arte Moderno de Bélgica.

1995-1999

Pinta el retrato de Gabriel García Márquez y su esposa Mercedes Barcha, en Nueva York.

2001

Primera exposición retrospectiva, realizada en la Biblioteca Luis Ángel Arango del Banco de la República en Bogotá.

Interior con figura y retrato ovalado. 1977. Óleo sobre lienzo. 92,1 x 61 cm

Cubo con figura. 2007. Óleo sobre lienzo. 38 x 50,5 cm